Le Mystère de Noël

Mary Higgins Clark
et
Carol Higgins Clark

Le Mystère de Noël

Traduit de l'anglais par Anne Damour

ÉDITIONS FRANCE LOISIRS

Édition originale :
DASHING THROUGH THE SNOW

Pour Lisl Cade,
notre amie très chère
et notre fidèle attachée de presse.
Avec toute notre affection.

Édition du Club France Loisirs,
avec l'autorisation des Éditions Albin Michel.

Éditions France Loisirs,
123, boulevard de Grenelle, Paris
www.franceloisirs.com

ISBN : 978-2-298-02301-5

1

Jeudi 11 décembre

À Branscombe, petite ville pittoresque au cœur de l'État de granite du New Hampshire, les lampions et banderoles annonçaient le premier Festival annuel de la Joie, un événement attendu par tous avec impatience. C'était la seconde semaine de décembre et la ville bourdonnait d'activité. Des bénévoles, le visage rayonnant de bonne volonté, s'activaient à donner à la pelouse communale des airs de pays enchanté. Même le temps s'était mis de la partie. Comme si elle obéissait à un signal, la neige avait commencé à tomber doucement. L'étang était gelé, prêt pour les compétitions de patin à glace du week-end. Presque tous les enfants de Branscombe avaient grandi sur des patins.

Ayant appris l'existence de ce festival qui voulait promouvoir l'image d'une petite ville tranquille et la vraie signification de la saison des fêtes, une chaîne câblée avait décidé de couvrir l'événement à travers une émission spéciale diffusée à la veille de Noël.

C'était Muffy Patton Lamb, la jeune épouse du nouveau maire, qui en avait suggéré le concept à une réunion du conseil municipal durant l'été. « Il est temps de faire quelque chose de particulier pour notre ville. Les autres localités de l'État sont connues pour leurs courses de luges et leurs randonnées à bicyclette. Branscombe est resté à l'écart pendant trop longtemps. Nous devrions vanter le fait que nous sommes un simple village dont les habitants restent attachés à leurs vieilles traditions. Il n'existe pas meilleur endroit pour élever une famille. »

Steve, son mari, avait applaudi à cette initiative. Propriétaire d'une affaire immobilière qui était dans sa famille depuis trois générations, il était particulièrement favorable à tout ce qui permettait d'accroître la valeur des terrains dans sa région. Il y avait de nombreuses maisons à vendre dans les environs qui feraient de parfaites résidences pour les retraités de Boston. Homme persuasif et jamais à court d'idées, Steve avait aidé Muffy à soulever l'enthousiasme de ses administrés.

« Dans bien des villes aujourd'hui l'esprit de Noël n'est plus ce qu'il était jadis, avait-il dit avec conviction. Le temps est essentiellement consacré aux achats et aux soldes. Des arbres de Noël artificiels s'entassent dans les magasins avant même qu'aient disparu les citrouilles de Halloween. Pris dans l'activité frénétique de la saison, les gens deviennent irritables et moroses. Organisons un simple week-end familial, avec des chants de Noël sur la grand-place, de nouvelles guirlandes lumineuses pour notre arbre et des réjouissances qui s'étaleront sur deux jours. Nous clamerons : "C'est Noël, soyez gais et heureux."

— Et qui va s'occuper de nourrir tous ces gens ? avait demandé un des membres du conseil.

— Nous demanderons à Conklin de s'en charger. Nous vendrons les tickets d'entrée à un prix modique, juste pour couvrir nos frais. C'est une chance d'avoir un magasin familial comme Conklin dans notre ville. Une véritable institution. »

Ils avaient tous hoché la tête, songeant au réconfort de déambuler dans les allées de Conklin's Market, de humer avec délice l'odeur des dindes en train de rôtir, des jambons cuits au four, des sauces qui mijotaient lentement, des fournées de biscuits au chocolat. Le meilleur de la cuisine traditionnelle et, quelques allées plus loin, vous trouviez des clefs à molette, des tuyaux d'arrosage et des pinces à linge. Les habitants de Branscombe aimaient que leurs draps et leurs serviettes sentent l'air frais.

À la fin de la réunion, l'enthousiasme était à son comble. Trois mois s'étaient écoulés depuis et le Festival devait démarrer le lendemain. La cérémonie d'ouverture était prévue pour le vendredi à cinq heures dans le square municipal où se dressait le sapin de Noël déjà illuminé. Tous les autres arbres le long de Main Street et autour du Bowling Green seraient éclairés au moment précis où le Père Noël arriverait sur son traîneau tiré par un cheval. On distribuerait des bougies et la chorale de la paroisse entonnerait les airs de Noël que reprendrait la foule. Un buffet suivrait dans le sous-sol de l'église, et l'on enchaînerait avec la première des nombreuses projections de *La vie est belle.*

Le samedi, Nora Regan Reilly, dont le gendre était un camarade d'université du maire, signerait son dernier roman au cours de la vente de charité. Elle avait aussi accepté de raconter des histoires aux enfants pendant une heure. En outre étaient prévues des promenades en charrette, en traîneau, et les patineurs glisseraient au son de leurs airs de Noël préférés chantés par Bing Crosby et Frank Sinatra. Le samedi soir un autre buffet serait suivi par une représentation d'*Un chant de Noël* joué par un groupe d'acteurs amateurs de Branscombe. Dimanche matin les festivités se termineraient par un petit déjeuner de pancakes dans le sous-sol de l'église.

Jusque-là tout se présentait bien.

Chez Conklin, les employés travaillaient sans relâche à préparer le Festival. La perspective des festivités était une aubaine pour la ville et les affaires de Conklin – mais les employés étaient exténués. La saison des vacances, depuis Thanksgiving jusqu'au nouvel an, était toujours surchargée, et cette année l'effervescence avait atteint son paroxysme. À la suite du reportage télévisé, les habitants des villes environnantes étaient attendus en nombre pour le week-end. Les employés de Conklin devaient être prêts à fournir dans les meilleurs délais une quantité de plats supplémentaires aussi agréables au goût qu'à la vue. Ils savaient qu'ils n'auraient pas une seule minute pour profiter des réjouissances, mais ils étaient sûrs que M. Conklin les récompenserait par une prime plus importante qu'à l'accoutumée, un bonus qui traditionnellement aurait déjà dû être distribué. Une partie du personnel avait même récriminé parce qu'ils n'avaient encore rien reçu.

Ce soir-là, il leur semblait que l'heure de la fermeture n'arriverait jamais. À huit heures moins dix, Glenda, la caissière en chef, était en train de fermer l'une des caisses lorsque la porte principale s'ouvrit brutalement sur la nouvelle et peu amène épouse de M. Conklin, Rhoda, qui entra d'un pas assuré, suivie docilement par son mari, Sam, qu'elle appelait dorénavant Samuel. Proche de la soixantaine, Rhoda avait rencontré Conklin à un bal de célibataires à Boston, où il avait rendu visite à son fils pendant un week-end. Il n'avait pas fallu longtemps à Rhoda pour s'apercevoir que Sam était une proie facile. Veuf depuis peu, il ne s'était pas rendu compte de ce qui lui arrivait jusqu'au jour où il s'était retrouvé dans son plus beau costume, une fleur à la boutonnière, remontant l'allée de l'église avec à son bras une Rhoda en robe de cocktail éblouissante. Depuis, la vie à Conklin's Market n'avait plus été la même. Rhoda essayait de mettre son empreinte sur une affaire familiale qui avait très bien marché sans elle pendant quarante ans.

Elle avait reproché à Ralph, le boucher, dont les dindes rôties étaient légendaires, de les badigeonner trop généreusement de beurre. Sa tentative de convaincre l'avenante Marion qui, à l'âge de soixante-quinze ans, s'était toujours occupée de la boulangerie-pâtisserie, d'utiliser des entonnoirs doseurs pour ses gâteaux et ses tartes avait été plutôt mal accueillie. Tommy, un beau et robuste jeune homme d'une vingtaine d'années, qui avait le génie des salades et des sandwiches, avait été prié de réduire les portions de viande froide qu'il destinait à ses maxi-sandwiches. Et Duncan, le responsable du rayon des fruits et légumes, avait été affreusement mortifié le jour où Rhoda avait récupéré pour la remettre à l'étal une pomme abîmée qu'il avait jetée.

Et c'était maintenant le tour de Glenda. Parce qu'elle manipulait des espèces sonnantes et trébuchantes, Glenda savait que chaque fois que Rhoda traînait dans les parages, c'était pour l'épier. Elle en était profondément vexée. Elle avait été engagée chez Conklin en sortant du lycée et, durant les seize années qui avaient suivi, pas un seul cent n'avait échappé à sa surveillance. Aujourd'hui la simple vue de Mme Conklin lui noua l'estomac. Alors que les employés s'étaient tous épuisés à la tâche, Rhoda sortait à l'évidence de chez le coiffeur. La large mèche blanche qui partait du front et courait le long de sa chevelure noire d'ébène brillait d'un éclat nouveau. Comparant cette teinture au pelage rayé du putois, Glenda avait qualifié Rhoda de « Mouffette », un surnom désormais adopté par tous les employés du magasin.

Rhoda se dirigea droit vers Glenda. « Nous avons une surprise pour nos cinq principaux employés. Samuel et moi aimerions vous voir avec Ralph, Marion, Duncan et Tommy dans notre bureau après la fermeture.

— Entendu », répondit Glenda, et elle jeta un coup d'œil soupçonneux aux deux gros sacs de plastique ornés du logo de la boutique d'encadrement que portait M. Conklin.

Que contenaient-ils ?

Elle allait le découvrir dix minutes plus tard, lorsque Rhoda leur servit son petit discours sur le sens d'un tel festival en cette période de réjouissances. « Samuel et moi sommes tellement heureux que la ville de Branscombe soit reconnue pour la priorité qu'elle accorde aux gens, plutôt qu'aux choses. La spiritualité. La notion de bon voisinage. C'est la raison pour laquelle nous avons décidé, au lieu de la prime habituelle, qui est trop mercantile à nos yeux, de vous offrir une autre sorte de bonus. » Plongeant la main dans les sacs, elle tendit à chacun d'entre eux un paquet emballé de papier-cadeau. « Ouvrez-les tous en même temps afin de ne gâcher la surprise à personne. »

Un silence de mort s'abattit sur la pièce quand les cinq employés principaux de Conklin, après avoir dépouillé les boîtes de leurs ficelles et de leur papier d'emballage, contemplèrent la photo de chacun d'entre eux prise avec les nouveaux époux six mois auparavant sur le porche de l'Auberge de Branscombe. Les cadres portaient ces quelques mots gravés : « En remerciement de votre long et loyal service. Joyeuses fêtes. Samuel et Rhoda Conklin. »

Glenda était atterrée. Nous avons tous besoin de cette prime et nous comptions dessus, pensa-t-elle avec amertume. Duncan se serre tellement la ceinture qu'il n'a même pas joué à la loterie avec nous cette semaine. Elle-même avait eu l'intention d'utiliser son bonus pour payer la somme que le juge lui avait ordonné de verser à son ex-mari, Harvey, dont elle avait soi-disant « intentionnellement détruit » les vêtements en les déposant sur la pelouse dans deux sacs-poubelle lorsqu'un orage imprévu était survenu. Le vent violent avait soufflé les sacs dans la rue au moment où passait un camion de livraison de Poland Springs. Cinq minutes plus tard, Harvey avait trouvé ses effets répandus sur la chaussée, trempés et réduits en charpie.

« Si je ne les avais pas laissés dehors à l'heure dite, avait protesté Glenda, il se serait plaint de désobéissance à magistrat. »

Le juge n'avait pas pris son excuse en compte et lui avait enjoint de rembourser la valeur des costumes tape-à-l'œil de Harvey. Avec le bonus elle aurait pu régler sa dette et être à jamais débarrassée de lui et de ses mensonges.

« Vous n'avez pas à me remercier », leur dit Rhoda tandis qu'ils restaient figés devant elle, tenant la photo encadrée dans leurs mains. « Viens, Samuel. Nous avons besoin de prendre une bonne nuit de repos. Le week-end sera chargé. »

M. Conklin franchit la porte à sa suite sans croiser le regard d'un seul de ses employés.

Glenda vit que Marion retenait ses larmes. « J'avais promis à mon petit-fils un beau cadeau de mariage, dit-elle. Mais lorsque j'aurai pris un billet d'avion pour la Californie, je ne sais pas ce qu'il me restera... »

Ralph grommela. « Judy et moi avions envisagé de nous offrir une croisière cet hiver. Avec les deux filles à l'université, nous sommes toujours ric-rac. Même ce soir Judy garde des enfants pour mettre un peu de beurre dans les épinards. »

Tommy semblait sur le point d'exploser de fureur. Glenda savait qu'il vivait encore chez ses vieux parents parce qu'ils avaient besoin de son aide financière. Bon skieur, il avait prévu de faire une longue randonnée dans l'Ouest avec quelques copains.

Grand et mince, souvent silencieux, Duncan, de deux ans plus jeune que Glenda, saisit son manteau et l'enfila brusquement. Comme il relevait le capuchon, ses cheveux blonds lui retombèrent sur le front. Son visage était rouge d'émotion. Glenda avait toujours éprouvé envers lui un sentiment presque maternel. Il était si méthodique, si ordonné, son rayon de fruits et légumes était toujours impeccablement tenu. Un tel émoi était inhabituel de sa part. « Je m'en vais », dit-il d'une voix tremblante.

Glenda lui saisit le bras. « Attends une minute, dit-elle d'un ton pressant. Pourquoi n'irions-nous pas tous les cinq manger un morceau chez Salty ? »

Duncan la regarda comme si elle était devenue folle.

« Et dépenser plus d'argent que nous n'en avons ? s'écria-t-il d'une voix aiguë. Le cours de gestion financière auquel je suis inscrit souligne que manger au restaurant quand on peut aussi facilement se préparer quelque chose à la maison est l'une des raisons d'endettement de la plupart des gens.

— Alors rentre chez toi avaler un sandwich au beurre de cacahuètes, répliqua sèchement Glenda. Si tu crois que nous ne sommes pas tous aussi bouleversés que toi ! Parfois, après un coup pareil, c'est bon de sortir entre amis et de se détendre. »

Mais Duncan était parti sans lui laisser le temps de finir sa phrase.

« On est moins malheureux à plusieurs », déclara Ralph avec un haussement d'épaules accompagné d'un semblant de sourire. Allons-y.

— Je vous suis, s'écria Marion. Je ne bois jamais d'alcool, mais je prendrai volontiers une bonne cuite ce soir. »

Deux heures plus tard, Glenda, Tommy, Ralph et Marion, quelque peu ragaillardis, capables même de rire de la Mouffette, s'apprêtaient à quitter la Taverne de Salty quand Tommy pointa son doigt vers l'écran de télévision au-dessus du bar.

Ils regardèrent tous le présentateur local qui annonçait d'une voix surexcitée : « Il y a deux gagnants à la superloterie nationale ce soir. Deux gagnants qui vont se partager trois cent vingt millions de dollars et le plus incroyable, c'est que les deux billets ont été achetés à dix miles l'un de l'autre, dans le New Hampshire ! »

Ils restèrent tous figés. Se pourrait-il qu'ils aient l'un des billets gagnants ? Pour chaque tirage, ils mettaient chacun un dollar et achetaient cinq billets. Ils jouaient les cinq mêmes numéros sur chaque billet et les mêmes numéros complémentaires sur quatre d'entre eux, le cinquième étant choisi à tour de rôle par l'un d'eux.

Le présentateur lut les cinq premiers chiffres. « Ce sont les nôtres », hurla Marion.

« Et le numéro complémentaire est... le 32 ! »

Tommy et Ralph tapèrent du poing sur la table.

« Non ! s'écrièrent-ils. Trente-deux n'est pas l'un de nos numéros complémentaires habituels.

— Quel était notre numéro complémentaire de cette semaine ? demanda Marion. C'était le tour de Duncan mais il a décidé de ne pas jouer. »

Glenda fouillait dans son sac. Ses mains tremblaient. La sueur perlait sur son front. Elle sortit son portefeuille et ouvrit le compartiment où elle conservait les billets.

« Duncan m'a dit le numéro complémentaire qu'il avait choisi. Il était sur le point de me confier son dollar puis il s'est ravisé. J'avais tellement l'habitude d'acheter cinq billets qu'en arrivant au kiosque, j'ai sorti un billet de cinq dollars. Et puis zut ! J'ai acheté le billet supplémentaire et utilisé le numéro choisi par Duncan... Je suis sûre que c'était le 30.

— Vite, la pressa Marion. C'était quel numéro ? Dépêche-toi, Glenda. »

Glenda déploya les billets comme un jeu de cartes. « Regardons ensemble. »

On lisait mal les numéros dans la lumière tamisée. Marion se pencha en avant, s'efforçant de déchiffrer les chiffres du numéro complémentaire. Un son rauque sembla émaner du tréfonds de son être. « Sainte mère de Dieu ! s'exclama-t-elle enfin en faisant un bond en l'air, agitant le billet. ON A GAGNÉ ! ON A GAGNÉ !

— Tu es SÛRE que c'est le 32 ? » interrogea Glenda.

La main de Marion tremblait tellement que le billet tomba par terre. Tommy le ramassa. « C'est bien le numéro 32 ! C'est le 32 ! »

Tout le monde s'était levé autour d'eux.

« Nous allons nous partager cent soixante millions de dollars à quatre ! » clama Tommy à la cantonade en soulevant Marion du sol et en la faisant tournoyer.

J'imagine la tête d'Harvey quand il apprendra la nouvelle, pensa Glenda avec une joie féroce en tombant dans les bras de Ralph.

« Embrassons-nous », proposa Marion, et ils s'enlacèrent tous, riant, pleurant, encore incrédules.

Je n'arrive pas y croire, pensa Glenda. Comment est-ce possible ? Nos vies viennent de changer pour toujours.

« À boire pour tout le monde, lança le patron du bar. Mais c'est vous qui payez, les amis ! »

Les quatre se rassirent en se regardant.

« Est-ce que vous pensez la même chose que moi ? » demanda Marion en essuyant ses larmes.

Glenda hocha la tête. « Duncan.

— C'était son numéro complémentaire, dit Ralph.

— Oui, c'était bien son numéro, confirma Glenda. Je n'aurais jamais choisi le 32. Mais j'ai décidé d'ajouter le dollar supplémentaire. Si bien que vous me devez tous un quarter.

— Je te paierai même les intérêts ! » s'exclama Tommy.

Ils pouffèrent puis retrouvèrent vite leur sérieux. « Nous devons partager avec Duncan, dit Glenda. Le pauvre garçon. Il n'a même pas voulu s'offrir un hamburger ce soir. Et sans son numéro, nous n'aurions pas gagné.

— Et nous n'aurions pas gagné si tu n'avais pas ajouté ce dollar supplémentaire, dit Marion. Comment pourrons-nous jamais te remercier ? »

Glenda sourit. « Nous jouons ensemble depuis des années et nous voilà récompensés. Nous allons commencer par notre petit festival personnel. Je suis impatiente d'entendre la réaction de Duncan. »

Elle sortit son téléphone portable. Le numéro de Duncan était inscrit dans sa liste de contacts. Elle l'appela sur sa ligne fixe puis sur son mobile, mais il ne répondit ni à l'un ni à l'autre. Elle laissa un message, le priant de rappeler immédiatement, quelle que soit l'heure. « C'est bizarre, dit-elle en raccrochant. Il semblait vouloir rentrer directement chez lui. Peut-être saitil déjà que nos numéros sont gagnants et regrette-t-il de ne pas avoir joué.

— À moins qu'il ne croie que tu as seulement joué nos quatre dollars et que nous avons perdu », dit Tommy.

À ce moment le patron du bar revint, déboucha une bouteille de champagne et commença à remplir quatre coupes. « Fêtons ça. Je suis sûr qu'aucun de vous n'a l'intention d'aller travailler demain matin.

— Vous parlez, qu'on va pas y aller, dit Marion. La nouvelle Mme Conklin va enfin avoir l'occasion de prendre en main toute la manifestation. Je voudrais la voir confectionner un gâteau aussi bon que les miens. Bonne chance, chérie ! »

Ils trinquèrent, imaginant avec délectation la réaction de la Mouffette quand elle apprendrait la nouvelle.

Mais Glenda ne pouvait chasser l'inquiétude qui l'envahissait. Duncan avait été bouleversé à la pensée d'être privé de prime, et maintenant il ne répondait pas au téléphone.

Se pouvait-il qu'il lui soit arrivé quelque chose ?

2

Alvirah et Willy Meehan étaient sur le point de quitter l'hôtel Pierre à New York où ils venaient de participer à une réception donnée au profit de l'un des organismes caritatifs d'Alvirah. Elle avait été tellement occupée à parler aux uns et aux autres qu'elle avait à peine touché à son assiette. Willy, qui avait fini par manger leurs deux repas, était impatient de rentrer chez eux. Il était presque onze heures et le cocktail avait débuté à six heures. Même le maître de cérémonie semblait épuisé à l'heure où il finissait d'énoncer les numéros de la tombola et remerciait l'assistance d'être venue nombreuse.

Il y avait peu à marcher jusqu'à leur appartement, mais Willy héla un taxi. La nuit était fraîche et Alvirah était juchée sur des talons hauts. En outre, ils devaient partir en voiture tôt le lendemain pour le New Hampshire où ils avaient prévu de rejoindre leurs amis, la détective privée

Regan Reilly, son mari Jack, chef de la brigade des affaires spéciales de la police de New York, et les parents de Regan, l'auteur de romans policiers Nora Regan Reilly et son mari, Luke, à un festival de Noël. Willy commençait à s'adresser au chauffeur quand Alvirah le tira par le bras. Il savait exactement ce que signifiait son geste. Elle avait faim. Toujours conciliant, au lieu de dire 211, Central Park South, il donna l'adresse du restaurant ouvert jour et nuit qu'ils fréquentaient dans ce genre d'occasions : « Chez Leo, 45e Rue et Broadway », dit-il.

Alvirah poussa un soupir de contentement. « Oh, Willy, je sais combien tu es fatigué. Mais je meurs de faim. Je prendrai juste un bol de leur délicieux minestrone et un sandwich au fromage grillé, ensuite je dormirai comme un bébé. »

Ce n'était pas dans la nature de Willy de rétorquer qu'Alvirah dormait toujours comme un bébé, qu'elle ait mangé ou non avant de se coucher. Mais il savait qu'elle n'avait rien avalé ce soir. Il lui arrivait de penser qu'elle travaillait plus maintenant qu'à l'époque où elle faisait des ménages pendant qu'il réparait la plomberie. Quelques années auparavant, âgés de soixante ans, ils avaient gagné quarante millions de dollars à la loterie. Aujourd'hui, Alvirah écrivait une chronique pour le *Globe* de New York, s'occupait de nombreuses organisations de charité, animait l'association de soutien aux gagnants de la loterie qu'elle avait fondée, et se montrait de plus en plus habile à flairer et résoudre les difficultés des autres. Chose dont il se serait volontiers passé.

À cause de ses talents de détective amateur, Alvirah avait été empoisonnée, à moitié asphyxiée et obligée de sauter d'un bateau de croisière pour échapper à une fusillade.

C'est un miracle qu'elle ne souffre pas d'un syndrome de stress post-traumatique, songeait Willy tandis que le taxi s'arrêtait devant Chez Leo.

« Je vais me dépêcher, chéri », promit Alvirah tandis que Willy réglait la course. « Nous prendrons deux tabourets au comptoir. »

À l'intérieur du restaurant, ils furent littéralement assaillis par l'odeur du nettoyant que répandait sur le sol une employée à l'air morose. Un signal jaune indiquait : ATTENTION. SOL GLISSANT.

« Oh, Seigneur », grommela Alvirah. Elle se tourna vers Willy au moment où ils s'apprêtaient à s'asseoir. « J'ignorais qu'on utilisait encore ce produit. Il y a peu de choses au monde qui puissent tuer mon appétit, mais l'odeur de ce détergent en est une. Allons-nous-en. »

Willy ne dit pas non. Il était impatient de rentrer chez eux. Il se réjouissait à la seule pensée de se glisser sous les couvertures et de s'enfoncer dans les oreillers de leur grand lit confortable. À cet instant, Leo sortit de la cuisine. Willy lui fit un salut de la main.

« Nous ne restons pas.

— Leo, quelle sorte de désinfectant avez-vous mis dans ce seau ? demanda Alvirah.

— C'est une horreur, admit Leo. Le nouveau fournisseur m'a poussé à le prendre. Il est censé tuer tous les germes existant sur terre.

— Je vais vous dire une chose, Leo. Il me tue *moi aussi* », dit Alvirah en se dirigeant vers la sortie.

Elle avait à peine fait trois pas qu'elle glissa sur le carreau humide. Willy s'élança en vain pour la retenir. Alvirah parvint à amortir sa chute en agrippant un tabouret mais son torse fut projeté en avant et elle se cogna la tête sur le comptoir en Formica.

Une heure plus tard, ils se trouvaient dans la salle des urgences du St. Luke's

Hospital, attendant qu'un chirurgien plasticien referme l'incision au-dessus de son sourcil gauche.

« Madame Mehan, vous êtes une sacrée bonne femme », avait déclaré un jeune interne avec admiration après avoir examiné sa radio. « Vous n'avez pas la moindre commotion et votre tension est excellente. Le chirurgien sera ici dans une minute et bientôt il n'y paraîtra plus.

— Je veux savoir quelles sont ses qualifications », dit Alvirah, haussant son sourcil intact. « J'ai vu ce soir même assez de visages ratés pour savoir qu'il y quelques plasticiens irresponsables dans cette ville.

— Ne vous inquiétez pas. Le Dr Freize est un as. »

C'était peut-être un as, mais ses paroles, bien que destinées à être rassurantes, prirent Alvirah à rebrousse-poil. Tandis qu'il finissait de recoudre l'entaille au-dessus de son œil encore fermé, il dit doucement : « À présent, je veux que vous rentriez chez vous et que vous restiez au repos total pendant le week-end. »

Alvirah ouvrit brusquement les yeux. « Nous partons demain matin dans le New Hampshire pour assister à une sorte de fête traditionnelle. Je ne veux pas rater ça.

— J’en suis convaincu, dit le Dr Freize. Mais vous devez prendre votre âge en considération. »

Alvirah se hérissa.

« Je ne cesse de rappeler à Alvirah que nous ne sommes pas de la première jeunesse, s’efforça de plaisanter Willy.

— En effet, insista le médecin. Suivez mon conseil. Restez chez vous. »

3

En proie au désespoir, Duncan regagna la petite maison qu'il louait dans Huckleberry Lane. À vingt minutes de Conklin's Market, elle était située à l'extrémité d'une voie sans issue envahie par la végétation.

« Pas de prime ! » ne cessait-il de répéter, agrippé au volant de son vieux 4 × 4 acheté d'occasion onze ans auparavant. « Pas de prime ! Comment vais-je payer la bague de Fleur ? » Il l'avait repérée dans la vitrine de Pettie, le bijoutier, en juin dernier, et même si Fleur et lui venaient à peine de se rencontrer sur Internet, il savait déjà que c'était la femme de sa vie. La bague était en forme de fleur avec un petit diamant au milieu et des pierres semi-précieuses soulignant les pétales. M. Pettie avait accepté à contrecœur de la mettre de côté jusqu'à Noël, moyennant un modeste acompte.

Qu'allait-il faire maintenant ? Certes, il pouvait acheter la bague avec sa carte de crédit, mais tout le monde sait que si vous ne payez pas le solde à la fin du mois, vous vous retrouvez avec des intérêts astronomiques qui ne cessent de s'accumuler.

Le mois dernier, deux experts en investissement étaient venus en ville pour animer jusqu'à Noël un séminaire hebdomadaire sur la stratégie financière. Duncan, qui prévoyait déjà son avenir avec Fleur, s'était aussitôt inscrit. Après le dernier cours du mercredi soir, les experts, Edmund et Woodrow Winthrop, deux cousins d'une cinquantaine d'années, l'avaient pris à part. « Nous avons eu l'occasion d'acheter des actions dans une société de forage de pétrole qui promet de rapporter dix fois notre investissement dans l'année. C'est garanti d'avance, avait chuchoté Edmund.

— Le grand schelem, avait ajouté Woodrow.

— Il reste encore la possibilité pour une personne d'investir cinq mille dollars. D'après la déclaration que vous avez remplie à notre intention, c'est la somme que vous avez sur votre compte épargne. À trois pour cent d'intérêt, Duncan, vous perdez de l'argent. Vous nous êtes sympathique. Vous êtes jeune, travailleur, consciencieux, et vous méritez une belle opportunité telle que celle-là...

— Je... je... ne sais pas », avait bégayé Duncan.

Edmund l'avait rassuré :

« Votre inquiétude est compréhensible. Nous avons chacun placé cent mille dollars. C'est le maximum que les responsables de la compagnie nous ont laissés investir.

— Cent mille chacun ! s'était exclamé Duncan, stupéfait.

— J'aurais souhaité pouvoir mettre davantage, dit Edmund. Mais c'est la loi. Duncan, si vous voulez en profiter, l'offre se termine demain à midi... »

Le lendemain matin, Duncan s'était présenté à l'ouverture de la banque et avait transféré le solde de son compte d'épargne sur son compte courant, puis il s'était rendu au domicile des Winthrop où avait lieu le séminaire. Avec un mélange d'impatience et d'anxiété, il leur avait tendu le chèque. Pour la première fois de sa vie, il était arrivé en retard à son travail.

Aujourd'hui il n'avait ni prime ni économies et la bague était toujours dans le coffre de Pettie. Fleur devait arriver la semaine prochaine en avion depuis la Californie et il avait prévu de la lui offrir pour Noël.

La neige tombait plus dru à présent, mais Duncan remarquait à peine les flocons en conduisant. Quand il s'arrêta dans l'allée et coupa le contact, le moteur émit un crachotement qui lui parut inhabituel parmi les bruits, craquements et grincements divers. Un souci de plus, songea-t-il en descendant. Il referma la portière derrière lui et piqua un sprint sur le chemin glissant.

À l'intérieur de la maison qu'il gardait désormais à une température de dix-huit degrés, il se débarrassa de son manteau et le jeta sur le divan. Son regard tomba immédiatement sur les notes qu'il avait prises la veille pendant l'exposé de stratégie financière. Elles étaient posées sur la table du coin repas où il les étudiait avec attention après chaque cours. La conférence d'Edmund et de Woodrow avait porté sur la façon dont les gens gaspillent leur argent durement gagné. Il se rappelait chaque mot.

« Savez-vous combien vous dépensez par an dans ces tasses de café que vous prenez tous les jours ? Préparez une Thermos et apportez-le à votre travail ou gardez-le dans votre voiture », avait conseillé Edmund, son visage mince marqué d'un pli soucieux. Il avait ôté ses lunettes et, les agitant en l'air pour accentuer son propos, il avait entonné : « Chaque fois que vous sortez de chez vous sans votre Thermos, vous vous privez de l'argent destiné à vous assurer une retraite confortable. »

Woodrow, son visage bouffi toujours plissé d'un sourire, avait interrompu son cousin : « Excuse-moi Eddie, mais j'ai une question pour nos invités. » Il avait désigné du doigt les dix-sept habitants de Branscombe qui assistaient au séminaire. « Combien êtes-vous à vous servir plusieurs fois des sacs de conservation que vous utilisez dans votre réfrigérateur ? »

Personne ne s'était manifesté.

« C'est bien ce que je pensais ! » s'était-il écrié avant de remarquer un doigt qui se levait timidement. « Madame Potters, je vous félicite, bravo. » Quittant sa chaise, il s'était dirigé d'un pas vif vers l'ancienne institutrice. Elle avait eu un sourire rayonnant quand il lui avait pris la main pour la porter à ses lèvres.

« Ce que je voulais dire, avait-elle raconté d'une voix douce, c'est que j'ai commencé à économiser les poches de plastique et à les réutiliser mais je me suis aperçue que cela ne marchait pas toujours très bien. J'avais mis le reste du gâteau d'anniversaire de mon cher mari aujourd'hui disparu, son dernier gâteau d'anniversaire, dans un sac où j'avais précédemment enveloppé du roquefort, et croyez-moi, c'est la première fois que je l'ai entendu prononcer un tel juron. » Elle avait souri à Woodrow qui avait lâché sa main.

« Merci de nous faire partager cette expérience, madame Potters, avait-il dit. Mais on peut toujours s'attendre à un petit raté sur le chemin de la sagesse financière. »

Mme Potters avait hoché la tête. « Sans doute. »

Woodrow avait regagné rapidement le devant de la salle. « Mes amis, nous conclurons par quelques suggestions utiles que vous pourrez méditer chez vous et, je l'espère, mettre en pratique. Achetez des vêtements lavables ! Le teinturier est coûteux. Mais surtout, pour l'amour du ciel, ne gaspillez pas votre argent à la loterie. Autant enflammer une allumette sous vos dollars et les brûler. Bonsoir, tout le monde. Nous nous reverrons la semaine prochaine. Conduisez avec prudence. N'oubliez pas, marchez autant que possible. C'est un bon exercice qui économise le carburant. »

Duncan, parce qu'il leur était reconnaissant de lui avoir permis de participer à leur placement, et se sentait en quelque sorte dans le rôle du chouchou du professeur, était allé les trouver après le cours.

« Dites donc, mes amis, j'apprécie beaucoup vos conseils, mais ne suis pas d'accord avec vous en ce qui concerne la loterie. Nous sommes un petit groupe au boulot à acheter ensemble nos billets. Nous mettons chacun un dollar deux fois par semaine et comme le dit la publicité : "Ma foi, on ne sait jamais !" »

Edmund et Woodrow avaient secoué la tête avec un mépris amusé. « Duncan, c'est cent quatre dollars par an que vous pourriez placer dans quelque chose qui vous rapporterait. »

Mais Duncan était heureux et amoureux et il attendait avec impatience l'arrivée de Fleur. « Je dois jouer encore une fois, avait-il dit. Je me sens en veine. Nous jouons toujours les mêmes numéros mais choisissons à tour de rôle le numéro complémentaire sur le dernier billet. C'est à moi de choisir demain. Mon anniversaire tombe la semaine prochaine et je vais avoir trente-deux ans, c'est donc le numéro que je choisirai.

— Trente-deux, hein ? dit Woodrow avec un grand sourire.

— Trente-deux ! » claironna Duncan.

Il récita les autres numéros lentement, d'un ton chantant : « Cinq, 15, 23, 44 et 52. Nous les jouons depuis des années.

— Cinq, 15, 23, 44 et 52, répéta Edmund. Je suppose qu'ils correspondent à des naissances, à des anniversaires ou à des adresses.

— Ou au jour où l'un de vous a perdu une dent, ajouta Woodrow en riant de bon cœur.

— Non, pas ça, dit Duncan en se joignant à son hilarité. Mais ils ont sûrement une signification particulière pour chacun d'entre nous.

— La belle affaire, dit Woodrow. Il n'empêche que vous perdez votre argent. J'espère que lorsque nous vous reverrons à la prochaine séance, vous nous direz que vous avez résisté à la tentation. »

Il donna à Duncan une tape dans le dos.

Maintenant, seul dans sa petite maison, Duncan avait hâte de parler à Fleur, mais préféra attendre de s'être un peu calmé. Elle était si douce et gentille, si réceptive à ses sentiments qu'elle saurait immédiatement au ton de sa voix que quelque chose le tourmentait. Et que pourrait-il lui dire ? Qu'il n'avait pas obtenu la prime à laquelle il s'attendait, qu'il avait investi toutes ses économies et n'avait plus de quoi lui acheter sa bague de fiançailles ?

Dégoûté de lui-même, il alla dans la cuisine, prit une bouteille de bière dans le réfrigérateur et l'emporta dans le séjour où il se laissa tomber dans son fauteuil inclinable. Il se renversa en arrière et poussa un soupir tandis que le repose-pied se relevait et s'enclenchait avec un déclic. De là, il pouvait admirer la photo de Fleur qu'il avait prise à leur premier rendez-vous dans un restaurant sur les quais de San Francisco. Quand il était entré, elle était assise les mains jointes sur la table et contemplait la baie. Elle l'avait entendu s'approcher de la table, s'était retournée et lui avait adressé un sourire très doux qui avait éclairé son visage et réjoui le cœur de Duncan.

Ils s'étaient mis à parler et avaient continué, incapables de s'arrêter. Ils avaient tant de choses en commun, y compris des parents hippies. Ils avaient échangé des histoires où ils s'endormaient aux manifestations, mangeaient bio et changeaient sans cesse d'école. Elle avait été baptisée Fleur parce que ses parents travaillaient chez un paysagiste. « J'ai échappé au pire, avait ri Fleur. Mon père voulait m'appeler Arbrisseau.

— Papa et maman m'ont appelé Duncan parce qu'ils s'étaient connus dans un Dunkin's Donuts pendant qu'ils faisaient la queue pour acheter un café », lui avait-il raconté.

Il n'arrivait pas à croire qu'après une jeunesse aussi nomade ses parents puissent aujourd'hui vivre dans une petite ville de retraités en Floride et passer leurs soirées à jouer au bingo.

Duncan et Fleur s'étaient confié leur besoin mutuel de racines. Elle lui avait dit qu'elle avait plusieurs fois fait le voyage en car au Lac Tahoe depuis San Francisco. Comme lui, elle aimait la neige. Et elle aimait son travail dans une crèche, même si elle ne gagnait pas beaucoup d'argent. Mais le plus important, c'est qu'elle m'aime, pensa-t-il en allumant la télévision et en se calant plus profondément dans son fauteuil.

Je dois m'estimer heureux, pensa-t-il. L'argent n'est pas tout. Nous sommes en bonne santé. Notre situation est meilleure que celle de 99,9 pour cent de la population dans le monde. Alors, courage, se réprimanda-t-il, il n'y a pas que l'argent qui compte. M. Pettie me laissera peut-être prendre la bague et je m'arrangerai pour la payer par mensualités. Il sait certainement qu'il peut compter sur moi.

Duncan but sa bière tout en regardant les quinze dernières minutes d'une série policière sur une femme escroc qui avait épousé quatre hommes et les avait plumés l'un après l'autre jusqu'à leur dernier cent. Ces types devaient être complètement stupides, pensa-t-il tandis que ses yeux se fermaient malgré lui.

Une heure plus tard, une voix stridente et faussement excitée le réveilla en sursaut. Lorsque Duncan comprit ce que disait le présentateur, qu'il y avait deux gagnants et qu'ils avaient acheté leurs billets de loterie à dix miles de distance dans le New Hampshire, il bondit, entraînant son fauteuil dans son mouvement. Il aurait voulu se boucher les oreilles quand l'homme commença à lire les numéros gagnants, mais il n'en fit rien.

À l'énoncé du troisième numéro, son cœur tambourinait dans sa poitrine. Nos numéros ! pensa-t-il fébrilement. Les deux suivants étaient aussi les leurs. C'est impossible, pensa-t-il. Mais lorsque le présentateur déclara, avec un grand sourire, que le numéro complémentaire était le 32, Duncan sauta en l'air.

« Je n'ai pas joué, s'écria-t-il. Je n'ai pas joué ! Nous aurions pu gagner ! » Il se figea. Et si Glenda avait utilisé son numéro complémentaire ? Dans ce cas, s'ils ont l'un des deux billets gagnants, je suis en dehors du coup, par la faute de ces abrutis de Winthrop !

Le regret lancinant d'avoir placé ses économies dans un puits de pétrole le torturait. Soudain toute l'idée lui sembla ridicule.

Je veux récupérer mon argent, pensa-t-il désespérément.

Il saisit son manteau et courut à la porte. « Ils ont ruiné ma vie », murmura-t-il en montant dans sa voiture.

Il tourna la clef de contact tout en pompant l'accélérateur.

Il fut récompensé de ses efforts par un silence de mort.

« Allez, démarre ! » s'écria-t-il avec impatience tout en s'acharnant à tourner la clef. Il ne voulait même pas penser que s'il avait joué à la loterie il aurait pu s'acheter n'importe quelle voiture. Même une Rolls Royce !

« *Allez !* » cria-t-il à nouveau, des larmes de colère brillant dans ses yeux. Puis il flanqua un coup rageur sur le volant et descendit de la voiture.

Au désespoir, il s'élança dans la rue obscure, ignorant la neige qui bombardait son visage et ses cheveux. À la vitesse de l'éclair, il partit vers la maison que les sorciers de la finance avaient louée pour leur séjour d'un mois à Branscombe.

Vingt minutes plus tard, hors d'haleine, il remontait au pas de course l'allée des Winthrop, se dirigeait vers la porte latérale par laquelle on entrait pour assister aux cours. Elle donnait sur la salle de jeux où étaient installés les chaises et le tableau noir. Au moment où il s'apprêtait à sonner, il entendit des cris à l'intérieur de la maison. Que se passe-t-il ? se demanda-t-il. On dirait qu'ils ont un problème.

Instinctivement, il tourna la poignée de la porte qui s'ouvrit sans mal. Les voix fortes des Winthrop, presque hystériques, provenaient de la cuisine. Cuisine, salle de séjour et salle à manger se trouvaient toutes à mi-étage au-dessus de la salle de jeux. La porte de la cuisine en haut de l'escalier était fermée. Duncan se dirigea sans faire de bruit jusqu'au pied des marches et écouta. Ce qu'il entendit confirma ses craintes :

« Dis donc, Edmund, tu crois qu'il y aurait un crétin parmi les habitants de ce bled pour acheter le pont de Brooklyn si nous tentions de le leur vendre ? »

Edmund s'esclaffa : « J'en connais un qui l'achèterait.

— Duncan Donuts ! »

Les deux hommes partirent d'un même rire tonitruant. L'un des deux tapait manifestement du poing sur une table.

« Il est aussi stupide que ce type de l'Arizona qui a investi dans des moulins à vent en Alaska l'an dernier. S'il savait...

— Tu vois sa tête si jamais il découvrait que nous avons utilisé ses numéros de loterie et que nous avons en poche un billet gagnant ?

— Je donnerais cher pour assister à ça. »

Ils pouffèrent à nouveau.

« Tu crois qu'il y a une chance qu'il n'ait pas suivi notre conseil et ait joué, malgré tout, en utilisant son numéro complémentaire ?

— Non. Je crois que nous l'avons trop bien embobiné. Mais l'autre billet gagnant a été vendu ici même, dans cette ville. Imagine un instant que ses copains de boulot aient gagné avec son numéro complémentaire ? Ça ferait un sacré boucan, non ? »

La tête de Duncan était près d'exploser.

C'est un vrai cauchemar, pensa-t-il. Ces types sont des imposteurs, des escrocs – ils m'ont volé mon argent *et* ils ont volé mes numéros de loterie. Après m'avoir recommandé de ne pas jouer !

Les larmes qu'il avait retenues pendant sa course à travers les rues roulèrent sur ses joues. Je sais ce qu'il me reste à faire, pensa-t-il. Je vais appeler le FBI ! Je ferai tout pour que ces deux fumiers passent le reste de leurs jours en costume rayé. Des costumes que vous n'avez pas besoin d'apporter chez le teinturier, se dit-il avec amertume.

À ce moment précis, il entendit un pas qui se dirigeait dans sa direction et vit la poignée de la porte de la cuisine tourner lentement. Pris de panique, il comprit qu'il n'avait pas le temps de sortir de la maison sans être vu. Il se précipita vers sa gauche, ouvrit la porte par laquelle on accédait à la cave et disparut derrière. Alors qu'il la refermait, sa chaussure mouillée glissa sur la première marche et il dégringola dans l'escalier.

Il atterrit sur le sol en ciment. La douleur qui déchira sa jambe gauche fut si violente que des gouttes de sueur envahirent son front. Pourvu qu'ils ne m'aient pas entendu, se dit-il avec frayeur. S'ils comprennent que j'ai surpris leurs propos, je suis cuit. Je peux dire adieu à ma petite Fleur.

« Edmund, c'est quoi ce raffut ? »

« Oh non », murmura Duncan.

« Sans doute la vieille chaudière. Cette maison ne vaut pas un clou. Passe-moi une autre bière.

— Est-ce qu'on devrait pas aller jeter un coup d'œil ?

— Pourquoi s'embêter ? »

Merci, mon Dieu, pensa Duncan tandis que les éclats de voix et de rire continuaient à fuser au-dessus de sa tête. À travers les grilles du chauffage, il les entendait se moquer de ces pauvres poires qu'ils avaient arnaquées et se féliciter, hilares, d'avoir gagné légitimement le gros lot avec les numéros de « Duncan Donuts ».

Ils sont dangereux, pensa-t-il. En proie à un accès de panique, le cœur battant, il essaya de bouger, mais la douleur dans sa jambe était si aiguë qu'il crut s'évanouir.

Comment vais-je sortir d'ici ? se demanda-t-il anxieusement, étendu dans le noir, sur le sol de cette cave froide et humide. J'aurais dû écouter la suggestion de Glenda et me faire un sandwich au beurre de cacahuètes à la maison.

4

Ils semblaient incapables de s'éloigner ne serait-ce que d'un pas du billet de loterie. Non qu'ils n'aient une entière confiance les uns dans les autres, mais ils s'étaient lancés dans des calculs. Ils en savaient assez sur le fonctionnement de la loterie pour comprendre ce qu'ils pouvaient attendre d'un gain de cent soixante millions de dollars. Ils convinrent de choisir le versement forfaitaire, qui serait d'environ quatre-vingt-huit millions. Après impôt, il leur resterait à peu près soixante millions. En divisant la somme par cinq, ils quitteraient la Mouffette avec chacun douze millions de dollars en poche.

« Nous allons prendre une photo de nous tous en train de recevoir le gros chèque et la lui envoyer, suggéra Marion. Nous la ferons encadrer à son intention avec cette inscription : "Bye Bye." »

Ils décidèrent de passer la nuit chez Ralph. Il avait une grande salle de séjour avec deux méridiennes et plusieurs fauteuils bien rembourrés. Ils n'avaient pas sommeil, mais ils pourraient au moins allonger leurs jambes. Tout en buvant leur champagne, ils téléphonèrent à leur famille. La femme de Ralph, Judy, poussa un hurlement en apprenant la nouvelle et se réjouit à la pensée de les accueillir pour la nuit.

« Je vais préparer des litres de café, s'écria-t-elle. Quand je pense que j'ai passé la soirée avec ces mômes pour trente malheureux dollars ! DOUZE MILLIONS ! Ralph, nous sommes enfin sortis du trou ! »

Ralph, un grand costaud aux cheveux roux qui pouvait avoir l'air un peu inquiétant quand il tenait son gros couteau de boucher à la main, se mit à pleurer. « Nous allons téléphoner aux filles ensemble, chérie. Il me tarde d'entendre leur réaction.

— Je t'aime, Ralph. »

Judy pleurait aussi.

Tommy appela ses parents, qui restèrent un moment éberlués. Puis, comme à l'accoutumée, sa mère trouva un sujet d'inquiétude : « Tommy, ne t'excite pas trop, l'avertit-elle. Tu pourrais tomber malade. Tu ferais peut-être mieux de rentrer à la maison tout de suite.

— Maman, je me porte très bien ! Je vais téléphoner à Gina et lui dire de prendre des billets d'avion de première classe pour elle, Don et les enfants la semaine prochaine. Cela fait deux ans que nous n'avons pas passé Noël ensemble.

— Oh, Tommy, ce serait merveilleux ! »

Marion téléphona à son fils en Californie : « Dis à T.J. que sa grand-mère va lui faire un cadeau de mariage qui va lui en boucher un coin ! Et penses-y, il ferait mieux de faire établir un contrat prénuptial. »

Glenda téléphona en Floride où habitait son père veuf. « Papa, il y a quelque chose que j'aimerais te voir faire dès demain matin, dit-elle d'un ton exubérant.

— Quoi, ma chérie ? » demanda-t-il d'une voix endormie, sans même songer à lui reprocher de l'appeler si tard.

Il faudrait des années de thérapie pour comprendre comment elle avait pu épouser un sale type comme Harvey quand son père était un être aussi charmant.

« Papa, va tout de suite t'acheter une vedette à moteur comme celle de ton copain Walter. Non, achètes-en une encore plus puissante ! »

Elle éclata de rire.

« Glenda, tu ne serais pas un peu pompette, ma chérie ? J'espère que tu n'es pas déprimée à cause de cet abruti de Harvey...

— Je ne suis pas déprimée du tout, papa. Et je ne suis pas pompette... »

Il fallut à Glenda trois bonnes minutes pour convaincre son père que l'incroyable était arrivé.

Comme ils quittaient la taverne, plusieurs des clients voulurent les prendre en photo.

« Nous sommes célèbres, soupira Marion. Je n'arrive pas à le croire. Je regrette de ne pas avoir mis mon nouveau chemisier rose. La vendeuse m'a dit que les volants de dentelle autour du col étaient très flatteurs. »

Glenda, qui avait vu le corsage rose, n'était pas nécessairement de cet avis. J'accompagnerai Marion dans les boutiques et l'aiderai à trouver une tenue pour le mariage de son petit-fils, j'ai moi-même quelques achats à faire, pensa-t-elle, se rappelant la remarque de Harvey en sortant du palais de justice.

« Je te souhaite d'être heureuse, Glenda, avait-il dit. Et j'espère que tu rencontreras quelqu'un qui t'aimera telle que tu es », avait-il ajouté avec un ricanement.

Elle savait ce qu'il voulait dire. Elle avait besoin de perdre du poids et de prendre soin d'elle, mais à force d'entendre tout au long des années ses éternelles réflexions déplaisantes, elle avait fini par renoncer à s'occuper de son apparence. Tout allait changer à partir d'aujourd'hui. Et Harvey regretterait de manquer tous les voyages qu'elle avait l'intention d'entreprendre. Pour commencer, se dit-elle, je ferai un petit séjour dans un spa, comme cette célèbre gagnante de la loterie, Alvirah Meehan, qui doit assister à notre festival avec son amie Nora Regan Reilly. Si Alvirah se manifeste pendant le week-end, j'adorerais avoir l'occasion de lui parler.

La maison de Ralph était à une quinzaine de minutes de distance. Charley, un chauffeur d'une soixantaine d'années qui conduisait la seule limousine de prestige de la ville, venait d'entrer dans la taverne après avoir ramené chez eux les employés d'une entreprise, à l'issue d'une réception de Noël. Durant le mois de décembre, il était engagé pour ce genre de courses et se qualifiait alors de « chauffeur de maître ». Il insista pour conduire les nouveaux millionnaires chez Ralph en grande pompe.

« Laissez vos voitures au parking. C'est un honneur pour moi de vous offrir votre premier trajet en limousine. » Il avait ajouté avec regret : « Je savais bien que j'aurais dû prendre un job chez Conklin il y a des années. J'aurais pu partager tout ça avec vous. Bah, n'y pensons plus. »

Ils montèrent dans la limousine et, comme s'ils voulaient faire honneur au temps, se mirent à chanter en chœur *Dashing Through the Snow*. Ils avaient à peine atteint la maison de Ralph que la porte s'ouvrit en grand. S'élançant, glissant à moitié sur le chemin gelé, Judy ouvrit la portière arrière de la limousine et se jeta dans les bras de son mari. « Nous sommes riches ! exulta-t-elle. Je n'aurais jamais cru que je prononcerais ces mots sur cette terre, chéri, mais nous sommes riches ! Un journaliste de la chaîne de télévision qui fait un reportage sur le festival a appelé à trois reprises. Il a entendu un client de la taverne parler du billet gagnant. BUZ veut vous interviewer tous ensemble.

— Tu crois que nous devrions faire comme Paris Hilton et engager des gardes du corps ? demanda Marion d'une voix inquiète. Après tout, nous détenons un petit bout de papier qui vaut des millions.

— Je le garde précieusement sur moi, Marion », la rassura Glenda en tapotant son sac.

À l'intérieur de la maison, modeste mais chaleureuse, ils s'assirent à la table de la salle à manger que Judy avait dressée avec ses tasses et assiettes à dessert en porcelaine. Un arbre de Noël scintillait dans le séjour. Il était clair que Judy aimait orner son intérieur pour les fêtes. Il n'y avait pas un centimètre carré – sur les murs ou les tables – qui ne fût occupé par une décoration ou une autre. Des bougies éclairaient le buffet et la table.

Judy commença à servir le café, mais ses mains tremblaient. Elle eut du mal à ne rien renverser dans les soucoupes. Comme si elle pensait tout haut, elle dit : « J'ai cinquante ans et je suis rarement sortie du New Hampshire. Ralph et moi, nous nous connaissons depuis le lycée. » Elle regarda son mari. « Après cette croisière, je voudrais aller à Londres, à Paris et à Rome. » Puis elle jeta un coup d'œil à son chandail et à son jean usés. « Et je voudrais de nouveaux vêtements. » Elle secoua la tête. « Je n'arrive toujours pas à croire que c'est vrai. Est-ce que je peux voir le billet ? »

Glenda sortit avec précaution le billet de son portefeuille et le lui tendit.

« Ne l'approche pas trop près des bougies ! » la prévint Marion.

En dégustant leur café accompagné de biscuits, ils imaginèrent ce qu'ils éprouveraient en pénétrant dans le kiosque à l'heure de l'ouverture, sept heures, pour faire valider leur billet. Et quand ils ne se présenteraient pas à leur travail.

Marion montra à Judy la photo qu'ils avaient reçue en guise de prime de Noël.

« C'est honteux, s'exclama Judy en lisant l'inscription. La Mouffette a ce qu'elle mérite et lui aussi. Le vieux Conklin sait bien que vous avez droit, ou devrais-je dire aviez droit, à cette prime. Ils vont avoir du travail pour assurer la restauration de la fête sans vous.

— Je leur aurais volontiers donné un coup de main s'il n'y avait pas eu ce soi-disant cadeau de Noël », dit Glenda.

Le téléphone sonna. C'était le producteur du reportage. Ils convinrent de le rencontrer avec son équipe au kiosque à sept heures.

Tandis que Ralph et Judy appelaient leurs filles, Glenda tenta à nouveau de joindre Duncan, sans plus de succès. « J'espère seulement qu'il a décidé de couper son téléphone et d'aller se coucher, dit-elle, s'efforçant de prendre un ton joyeux.

— Je suis sûr qu'il va bien, dit Tommy. Lorsque Charley viendra nous chercher demain matin, nous ferons un détour par la maison de Duncan et nous l'emmènerons avec nous. Il sera levé, prêt à aller travailler. Nous lui dirons que nous avons décidé de partager avec lui le gros lot. Il me tarde de voir sa réaction ! »

5

Il était presque deux heures quand Willy et une Alvirah quelque peu sonnée arrivèrent enfin chez eux au 211, Central Park South. Alors qu'ils se mettaient au lit, Willy éteignit la sonnerie du réveil qu'ils avaient réglée pour leur départ matinal à destination du New Hampshire.

« J'étais réellement impatiente d'assister à ce festival, soupira Alvirah. On se serait bien amusés. » À regret, elle jeta un coup d'œil à leurs valises déjà bouclées. « Nous avons été tellement occupés que nous n'avons pratiquement pas vu les Reilly, et ils me manquent.

— Nous irons l'an prochain, promit Willy. Pendant que tu te changeais, j'ai envoyé un e-mail à Regan et à Jack pour leur expliquer ce qui était arrivé. Je leur ai dit que tu n'avais rien de grave, mais que nous ne pourrions pas nous joindre à eux pendant ce week-end et que nous les appellerions plus tard. » Puis, avant d'éteindre la lumière, il ajouta : « N'hésite pas à me réveiller si tu ne te sens pas bien. Tu as eu un sacré choc. »

N'obtenant aucune réponse, il s'aperçut qu'Alvirah dormait déjà. Pauvre chérie, pensa-t-il en se serrant contre elle.

Sept heures plus tard, Alvirah ouvrit les yeux, fraîche et dispose. Instinctivement, elle leva la main et tâta avec précaution le bandage qui entourait son front. C'est douloureux mais supportable, pensa-t-elle. Willy insista pour lui servir son petit déjeuner au lit. Quinze minutes plus tard, appuyée sur trois oreillers, elle engloutissait les œufs brouillés qu'il avait amoureusement préparés.

Avalant la dernière bouchée de toast, Alvirah s'essuya délicatement la bouche avec une serviette de lin couleur abricot assortie au plateau. « Willy, je me sens en pleine forme, dit-elle. Allons à ce festival.

— Tu as entendu ce qu'a dit le chirurgien, Alvirah. Nous irons l'an prochain. Tâche de te reposer. » Il prit le plateau. « Veux-tu que je t'apporte une autre tasse de thé ?

— Pourquoi pas ? grommela Alvirah. Je n'ai rien d'autre à faire. » Elle s'empara de la télécommande et alluma la télévision.

« Voyons ce qui se passe dans le reste du monde. »

Elle sélectionna la chaîne d'information continue. Apparut aussitôt à l'écran le visage de Cliff Bailey, le beau présentateur qui l'avait interviewée à propos des embûches qui attendent les heureux gagnants de la loterie. Alvirah se souvint de lui avoir répondu que ces pièges ne devraient pas exister mais que, malheureusement, certaines personnes perdaient la tête en voyant cette manne leur tomber du ciel.

« Et aujourd'hui, disait Bailey tout excité, une histoire incroyable vient d'arriver dans une petite ville du New Hampshire, Branscombe, où quatre employés du petit supermarché local ont gagné en groupe cent soixante millions de dollars à la mégaloterie de la nuit dernière. »

« Alvirah, veux-tu un autre toast ? lui cria Willy depuis la cuisine.

— Chuuut, fit Alvirah en montant le volume. Willy, viens voir. »

Ne sachant à quoi s'attendre, Willy se précipita dans la chambre.

« L'autre billet gagnant a été acheté à Red Oak, une ville à dix miles de Branscombe. Dans toute l'histoire de la loterie, la chance n'a jamais frappé dans des agglomérations aussi proches. Le propriétaire du second billet gagnant ne s'est pas encore présenté. À Branscombe, toutefois, règnent l'inquiétude et la spéculation. Un cinquième employé, Duncan Graham, qui joue avec le même groupe depuis des années, a décidé hier de ne plus participer. Malgré tout, ses amis ont l'intention de partager la cagnotte avec lui car c'est le numéro complémentaire qu'il avait choisi qui est sorti au tirage. Mais il a disparu sans laisser de traces. Personne n'a revu Duncan depuis qu'il a quitté le supermarché dans la soirée d'hier. Certains mauvais esprits se demandent s'il n'a pas joué les numéros de son côté, auquel cas il détiendrait l'autre billet gagnant et n'oserait pas affronter ses collègues. Vous voyez en ce moment les quatre amis en train de faire valider leur billet. »

Alvirah examina rapidement l'expression des deux hommes et des deux femmes. Leurs sourires paraissaient un peu forcés. Ils avaient l'air stupéfaits plutôt qu'exubérants. « Je n'arrive pas à croire que nous ne soyons pas déjà là-bas ! » s'écria-t-elle en rejetant les couvertures. Willy n'eut pas besoin de la regarder. Il savait qu'il n'y avait pas à discuter. « Je vais faire la vaisselle et le lit pendant que tu prends une douche.

— Appelle le garage et dis-leur de sortir la voiture tout de suite. Au moins n'avons-nous pas à faire nos bagages. Je tordrais volontiers le cou à ce médecin qui m'a ordonné de rester à la maison. Il ne m'a jamais vue de sa vie – que sait-il de ma constitution ? Jadis, avec trois points de suture au-dessus de l'œil, je n'aurais jamais osé appeler Mme O'Keefe et lui dire que je ne pouvais pas venir nettoyer le foutoir qui régnait chez elle. J'aurais perdu ma place. Willy, téléphone à Regan et dis-lui que nous sommes en route. »

La porte de la salle de bains se referma en claquant derrière Alvirah.

« Je savais que nous finirions par y aller, à ce festival », marmonna Willy en commençant à faire le lit.

— Appelle le garage et dis-leur de sortir la voiture tout de suite. Au moins n'avons-nous pas à faire nos bagages ! Je tiendrais volontiers beaucoup à ce médecin qui t'a ordonné de rester à la maison. Il ne m'a jamais parlé de ta santé [illegible] soit [illegible] constitution, [illegible] trois pieds de [illegible] quelques [illegible] n'aurais [illegible] appelé Mme O'Keefe [illegible] dis que je ne pouvais pas [illegible] nettoyer le [illegible] qui regarde chez [illegible]. J'aurais perdu ma place. Willy, téléphone à Regan et dis-lui que nous sommes en route. »

La porte de la salle de bains se referma en claquant derrière Adrian.

« Je savais que nous finirions par y aller, de toute façon », murmura Willy en commençant à faire le lit.

6

Regan et Jack Reilly quittèrent leur loft dans Tribeca à sept heures du matin et montèrent dans le spacieux 4 × 4 qu'ils avaient loué pour le week-end. Ils avaient prévu de prendre au passage les parents de Regan ainsi qu'Alvirah et Willy Meehan qui habitaient des immeubles voisins sur Central Park South, puis de se rendre ensemble dans le New Hampshire. Après l'e-mail annonçant qu'Alvirah et Willy ne pourraient pas se joindre à eux, cette énorme voiture était non seulement devenue inutile, mais leur rappelait l'absence de leurs amis.

La mère de Regan, Nora Regan Reilly, toujours sur son trente et un, même à cette heure matinale, jeta un regard de regret vers l'immeuble d'Alvirah en montant dans la voiture. N'importe quel passant aurait su immédiatement que Regan était sa fille. Les deux femmes avaient le même teint clair, les mêmes yeux d'un bleu rare, et des traits classiques. Seules différaient chez elles la couleur de leurs cheveux et la taille. Nora était une petite blonde alors que Regan avait hérité de la chevelure noir d'ébène du côté paternel et tenait son mètre soixante-dix des gènes de la famille Reilly. Son père, Luke, était un échalas grisonnant d'un mètre quatre-vingt-quatorze.

« J'espère qu'Alvirah va se rétablir rapidement », dit Nora d'une voix inquiète en s'installant dans la voiture. Luke rangea leurs valises à l'arrière et monta à côté d'elle. « Je ne m'en fais pas pour Alvirah, c'est pour le comptoir du restaurant que je m'inquiète.

— C'est exactement ce que je pensais, mais je craignais que Regan ne se mette en rogne si je le disais », renchérit Jack.

Il jeta un regard malicieux par-dessus son épaule en direction de Luke. Jack Reilly éprouvait une affection toute particulière pour son beau-père. C'était lorsque Luke avait été kidnappé par le parent furieux d'un homme dont il avait organisé les funérailles que Jack avait fait la connaissance de Regan. À la tête de la brigade spéciale de la police de Manhattan, Jack avait été chargé de l'enquête. Blond, élégant, l'allure assurée, il était à trente-quatre ans l'une des stars montantes de la police de New York. Diplômé de l'université de Boston, il avait préféré suivre la voie de son grand-père paternel plutôt que d'entrer dans la société familiale d'investissement.

Trois heures plus tard, après avoir franchi les habituels encombrements du vendredi matin, les Reilly étaient parvenus dans l'État du Connecticut quand le téléphone mobile de Jack sonna. Il le sortit de sa poche, jeta un coup d'œil sur le nom qui s'affichait et le tendit à Regan. « C'est le maire, Steve, dit-il. Dis-lui que je conduis. Tu me connais, je suis un citoyen obéissant.

— C'est pourquoi je t'ai épousé », dit Regan avec un sourire en prenant le téléphone. « Allô, Steve... », commença-t-elle, puis elle écouta le torrent d'informations qui se déversait à son oreille. « Non ! C'est une blague ! parvint-elle enfin à prononcer. C'est incroyable ! Nous avons écouté de la musique et les informations sur la circulation. Nous aurions mieux fait de prendre les nouvelles. »

Contenant à peine sa curiosité, Nora se pencha en avant, tendant au maximum sa ceinture de sécurité. À côté d'elle, Luke se renfonça dans son siège. « Préviens-moi s'ils ont besoin de mes services », dit-il de son ton traînant.

Regan fit mine d'ignorer Nora qui faisait des gestes désespérés pour s'emparer du téléphone. « Oui, Steve, nous devrions être à l'Auberge vers midi pour la conférence de presse.

— Une conférence de presse ! s'exclama Nora.

— Du calme, chérie », dit Luke doucement, haussant les sourcils en croisant le regard amusé de Jack dans le rétroviseur.

« D'accord, Steve, ne vous faites pas trop de souci. Le Festival sera un succès, j'en suis certaine. Nous vous retrouverons donc à l'Auberge. » Regan referma le téléphone. Elle se laissa aller en arrière. « Je suis tellement crevée que je crois que je vais piquer un somme pendant quelques minutes. »

Nora s'exclama d'une voix consternée : « Regan ! »

Jack donna un coup de coude dans les côtes de sa femme. « Raconte !

— Bon, si tu insistes. Comme vous le savez, le Festival de la Joie démarre cet après-midi. Hier soir, un groupe d'employés du supermarché local chargé de fournir les repas pendant la manifestation a gagné la moitié des trois cent vingt millions de dollars de la mégaloterie.

— Adieu, les sandwiches à la mortadelle, murmura Luke.

— Et la salade de pommes de terre, ajouta Jack.

— Pouvez-vous la fermer une minute afin que Regan puisse parler ? » demanda Nora, réprimant un rire. « Continue, Regan.

— En bref, cinq employés du magasin jouaient toujours ensemble à la loterie. Cette fois, l'un d'eux, à la dernière minute, a décidé de ne pas jouer.

— Pauvre vieux, soupira Luke.

— Les autres avaient l'intention de lui donner sa part des gains car c'est lui qui avait choisi le numéro complémentaire. Seulement, aucun d'eux ne l'a revu depuis qu'il a quitté son travail hier soir. Ils savent qu'il est allé chez lui – sa voiture se trouve encore dans l'allée devant sa maison – mais il ne répond pas au téléphone et ils craignent qu'il ne lui soit arrivé malheur.

— C'est navrant, soupira Nora. Se pourrait-il qu'en pensant avoir perdu à la loterie, il… »

Elle s'interrompit, ne voulant pas exprimer à voix haute l'idée qui leur était venue à l'esprit en même temps.

« L'histoire se complique, dit Regan. Un autre billet gagnant a été vendu dans une ville des environs. Certains soupçonnent qu'après avoir refusé de dépenser son dollar avec les autres, le dénommé Duncan a acheté son propre billet et qu'il n'ose pas l'avouer.

— Oh, dans ce cas c'est une autre affaire, dit Luke. Je commençais à le plaindre, mais je vous parie qu'il est en train d'apaiser ses remords sur une plage tropicale avec une *piña colada* dans une main et le billet gagnant dans l'autre.

— Ce serait la meilleure issue, à mon avis », dit Nora.

Son esprit de reine du suspens envisageait toutes les possibilités.

« Résultat, toute la ville parle de la loterie au lieu du Festival et le réalisateur du reportage a annulé l'interview de cette pauvre Muffy ce matin. Il est trop occupé à suivre les rebondissements de cette histoire de loterie.

— Pas d'interview pour Muffy ? s'exclama Luke. Jack, tu ferais mieux de mettre la gomme.

— Papa, ne sois pas méchant, protesta Regan. Steve a l'air vraiment inquiet.

— Je crois qu'il espérait que ce festival l'aiderait à accroître sa popularité dans le New Hampshire, expliqua Jack.

— On dirait que c'est bien parti, dit Luke.

— D'après ce que je sais, poursuivit Jack, Steve voudrait se lancer dans la politique et Muffy se voit comme la prochaine Jackie Kennedy. À l'université, Steve voulait toujours tout organiser. Nous l'appelions Monsieur le Maire à l'époque. »

Regan sursauta. « J'y pense tout d'un coup. Vous imaginez la réaction d'Alvirah quand elle découvrira ce qu'elle a manqué ? »

Au même moment son mobile sonna.

« Inutile de regarder le nom de la personne qui appelle, Regan, dit Luke. Ma tête à couper qu'Alvirah vient d'apprendre ce qui se passe à Branscombe. »

Jack acquiesça :

« Aucun doute. Et nous allons la voir apparaître avant le coucher du soleil. »

7

Où suis-je ? se demanda Duncan en ouvrant les yeux. Qu'est-il arrivé ? Puis tout lui revint. Il était tombé dans l'escalier et gisait sur le sol froid en ciment du sous-sol de la maison où habitaient ces abrutis d'escrocs. Une faible lumière émanait de deux fenêtres aux vitres sales et il distinguait les flocons de neige qui tombaient doucement. Il se souvint qu'il était resté des heures éveillé, en proie à la douleur et à la faim, forcé d'écouter les Winthrop célébrer leur bonne fortune. Quand ils étaient enfin allés se coucher, il avait dû s'assoupir. C'était l'odeur du café s'infiltrant à travers les grilles du chauffage qui l'avait réveillé. Les mêmes grilles qui avaient permis aux vantardises de ces aigrefins de lui parvenir aux oreilles.

Duncan n'était que plaies et bosses, mais c'était sa jambe droite qui le faisait vraiment souffrir. Il se demanda si elle n'était pas brisée. La nuit dernière, après sa chute, il n'était pas parvenu à la bouger tant elle était douloureuse.

« Du café, Eddie ? » entendit-il au-dessus de lui.

Les voilà qui commencent, se dit Duncan. Platon et Aristote sont prêts à attaquer la journée. Il faut que je sorte d'ici à tout prix. Comment ?

« C'est pas de refus », répondit Edmund. « Ajoute deux aspirines. Vu le nombre de bières qu'on a sifflées hier soir !

— Et alors ? Je ne sais même plus à quelle heure on s'est couchés.

— Avec tout ce que nous avons en poche, nous devrions nous prélasser dans un palace, servis par un maître d'hôtel, au lieu de boire dans les tasses ébréchées de cette taule minable.

— Il n'y en a plus pour longtemps, grogna Woodrow. Tu imagines la tête de grand-père s'il nous voyait maintenant ? Lui qui nous a toujours traités de bons à rien. »

Grand-père avait raison, pensa Duncan en se mettant sur le côté. Il se redressa, repoussa les cheveux qui lui tombaient sur le front. Un café ne me ferait pas de mal non plus, se dit-il. Il passa sa langue sur ses lèvres. Il avait la bouche sèche. Mais ce que j'aimerais vraiment, c'est avaler un grand verre de jus d'orange frais pressé. Et du bacon, des œufs et des bagels. Allons, ce n'est pas le moment de penser à manger. Si ces types décident de descendre, je suis mort.

« J'aimerais bien me tirer dès aujourd'hui, continuait Woodrow. Mais si nous ne donnons pas notre dernier cours la semaine prochaine, les gogos qui ont payé pour entendre nos conseils géniaux vont se mettre à comparer leurs notes. Une fois qu'ils auront compris qu'ils ont presque tous investi dans le même prétendu puits de pétrole, nous aurons les flics à nos trousses. »

Ces paroles furent un nouveau choc pour Duncan. Stupidement, il se sentit trahi à nouveau. Je n'ai jamais été le chouchou du professeur, pensa-t-il amèrement. Je me suis laissé rouler comme un bleu.

« Si nous ne pouvons pas nous barrer définitivement, nous pourrions au moins aller faire la fête à Boston ? J'envisagerais même d'acheter à mon ex-femme un cadeau de Noël. Ce serait conforme à l'esprit de Noël, non ? » Edmund partit d'un rire tonitruant.

« Pas question que j'achète quelque chose à la mienne. Je n'avalerai jamais qu'elle ne m'ait jamais rendu visite en taule, dit Woodrow.

— Elle est venue la première fois qu'on nous a coffrés, rappela Edmund à son cousin.

— Ouais, mais elle n'a fait que se plaindre. Tu parles d'une visite. »

Peut-être vais-je être forcé de me suicider, pensa Duncan.

« On s'en fiche de nos deux bonnes femmes, dit Edmund. Avec nos poches bourrées de fric, nous n'allons pas manquer de compagnie féminine. À propos, si nous allons à Boston aujourd'hui, que faisons-nous du billet ? Crois-tu prudent de l'emporter avec nous ?

— Avec tous les pickpockets qui sont sur la brèche pendant les fêtes ? Pas question. Mieux vaut le laisser ici.

— Où ? Et si la maison brûle pendant notre absence ?

— Y a qu'à le mettre dans le congélateur. »

Écarquillant les yeux, Duncan sentit son cœur battre à coups redoublés. Il retint sa respiration en attendant la réponse d'Edmund. Allez, Edmund. Choisis le congélateur !

« Le congélateur ? demanda Edmund d'un ton méfiant. Je ne sais pas ... on ferait peut-être mieux de prendre le billet avec nous. »

« Non », gémit Duncan. Il lui sembla entendre le public des concours télévisés hurler des conseils aux participants. « Non, Eddie ! non ! Choisis le congélateur ! » avait-il envie de crier.

« C'est l'endroit le plus sûr. Nous l'enfermerons dans une pochette en plastique. J'ai entendu des histoires de gens qui avaient perdu leur billet parce qu'ils le trimballaient avec eux, insista Woodrow. Tu imagines notre état si jamais ça nous arrivait ?

— C'est trop horrible, je ne veux même pas y penser, répondit Edmund. Impossible d'avoir raison avec toi.

— Avec moi ? C'est toi qui dis ça ! »

Ils éclatèrent de rire.

« OK, laissons-le dans le congélateur, accepta finalement Edmund. La semaine prochaine, quand nous en aurons terminé ici, nous déciderons de l'endroit où l'encaisser et chercherons quelqu'un qui puisse le faire à notre place. Nous avons un an pour nous décider.

— Un an ? s'écria Woodrow. Tu as perdu la tête ou quoi ? Je ne vais pas attendre un an. Et tu te considères comme un expert financier ? Chaque jour qui passe nous fait perdre des intérêts.

— Bien sûr que nous n'allons pas attendre un an. Il faut seulement tout combiner à l'avance... Dis donc, il est presque onze heures. Allons prendre une douche et filons. Cet endroit me porte sur les nerfs. On comprend que les propriétaires aient mis la baraque en location. »

Lorsqu'ils revinrent dans la cuisine vingt minutes plus tard, Duncan avait imaginé un plan qui, s'il réussissait, ferait de lui le plus heureux des hommes toute sa vie durant.

« Woodrow, ne le laisse pas en vue », disait Edmund, d'un ton manifestement irrité. « Cache la pochette sous la boîte de petits pois congelés. »

Des petits pois congelés ? Mes petits pois frais ont bien meilleur goût, pensa Duncan.

« Bon. Voilà. Ça te va ? Il est sous les petits pois. »

« Ouf, ils sont partis », soupira Duncan en entendant la porte de l'entrée claquer puis le bruit d'une voiture en train de démarrer. Le silence régna ensuite, à l'exception du ronflement de la chaudière. Je suis seul dans une maison avec un billet de loterie qui vaut cent soixante millions de dollars, se dit-il. C'est une motivation qui suffirait à n'importe qui pour se relever. Il saisit la rampe de l'escalier et s'efforça de se mettre debout, pesant de tout son poids sur sa jambe gauche. Il effleura prudemment le sol de son pied droit et tressaillit. Vouloir, c'est pouvoir, s'exhorta-t-il. S'appuyant lourdement sur la rambarde branlante, il monta pas à pas l'escalier en claudiquant, ouvrit la porte et continua à gravir tant bien que mal les quelques marches qui le séparaient de la cuisine.

Le grondement d'une voiture qui passait devant la maison le figea. Mais le véhicule ne s'arrêta pas. Ils auraient pu décider de revenir, pensa-t-il. Je n'ai pas de temps à perdre.

Sautant à cloche-pied, il parvint en haut des marches et traversa la petite cuisine en un temps record. Pas étonnant que le propriétaire n'arrive pas à vendre cette maison. Tout semble sur le point de s'écrouler. Mais que m'importe, se dit-il en atteignant le vieux réfrigérateur et en ouvrant la porte du congélateur. Les doigts tremblants, il saisit la boîte de petits pois. Cette marque a fait faillite il y a dix ans, constata-t-il avec dégoût, puis ses yeux tombèrent sur la pochette en plastique qui contenait le billet de loterie. S'en emparant, il se retourna, sautilla jusqu'à la table et retira le billet du plastique. Un quart de seconde lui suffit pour vérifier les numéros gagnants – puis il sortit son portefeuille et rangea le billet à l'intérieur. Il ouvrit ensuite un autre compartiment pour y prendre le billet que Fleur et lui avaient acheté à leur premier rendez-vous. Elle ne s'intéressait guère aux jeux de hasard, mais ils avaient pris plaisir à choisir ensemble le numéro.

« Nous n'avons pas gagné ce jour-là, dit tout haut Duncan, mais je savais que ce billet servirait un jour. » Le portant à ses lèvres, il l'embrassa une fois, deux fois, trois fois, puis l'introduisit dans la poche de plastique. Quelques secondes plus tard, il remettait le tout en place, sous la boîte de petits pois surgelés.

En entendant une voiture s'engager dans l'allée, une décharge d'adrénaline le traversa. Il était trop tard pour regagner le sous-sol. Sautillant avec agilité, il pénétra dans le salon et alla se blottir derrière un gros fauteuil rembourré.

Je suis foutu, pensa-t-il. S'ils ont décidé d'annuler leur escapade à Boston et de rester à la maison, ils ne manqueront pas de me découvrir.

La porte s'ouvrait. « Très bien ! » lança Woodrow avec impatience. « Tu me l'as dit et répété cent fois. Ce n'est pas une bonne idée d'avoir laissé le billet de loterie. »

Duncan l'entendit ouvrir la porte du congélateur. Son cœur se serra.

« Tu vois, il est bel et bien là ! dit Woodrow. Je le range dans mon portefeuille. Ou dans le tien si tu préfères. Décide-toi.

— Je le prends », dit Edmund, visiblement à cran.

Ils étaient repartis !

C'est un miracle, pensa Duncan. Ils n'ont pas vérifié les numéros. Maintenant, il me reste à quitter cet endroit, à rentrer à la maison et à réfléchir à la suite des opérations. Je veux que les Winthrop soient poursuivis en justice, mais je ne peux pas les dénoncer tout de suite. Si je révèle l'histoire aujourd'hui, soit ils s'évanouiront dans la nature, soit ils reviendront et me tueront. Et s'ils disparaissaient, je le regretterais toute ma vie. Je pourrais même finir planqué sous la protection de la police. Or Fleur et moi avons envie de vivre à Branscombe.

Il présuma que les deux cousins ne reviendraient pas de sitôt et se redressa. Il se dirigea vers l'entrée et s'immobilisa devant le placard à côté de la porte. Peut-être trouverait-il à l'intérieur un vieux parapluie ou une canne, quelque chose sur quoi s'appuyer. Comme si la chance était au rendez-vous, un vieux balai atterrit sur le sol au moment où il ouvrit le battant. Il le ramassa et dévissa le manche. C'était mieux que rien.

Respirant à nouveau l'air revigorant du New Hampshire, avec un billet de loterie d'une valeur de cent soixante millions de dollars dans sa poche, Duncan commença à longer en claudiquant la route déserte. Pourvu que j'arrive jusqu'à la maison, pria-t-il. Il avait à peine parcouru trois cents mètres quand il entendit un véhicule s'arrêter derrière lui. Pris de panique, il se retourna.

C'était Enoch Hippogriff, un vieux bonhomme au visage boucané qui faisait régulièrement son marché au magasin. Il l'appela : « Duncan ? Qu'est-ce que tu fabriques par ici ? Toute la ville te cherche. »

Stupéfait mais soulagé, Duncan se hissa dans la voiture d'Enoch. « Pourquoi me cherche-t-on ? » demanda-t-il. Fleur aurait-elle alerté les autorités parce qu'il ne l'avait pas appelée avant de se coucher comme il le faisait toujours ?

« Ne joue pas l'innocent, dit Enoch, tu le sais très bien.

— Pas du tout. »

Enoch lui lança un regard de biais. « Tu n'es pas au courant, vraiment ? Tu m'as l'air sincère. Tu as une drôle d'allure, à sautiller comme ça un bâton à la main. Duncan, tes collègues ont gagné à la loterie hier soir.

— Ils ont gagné ! » s'exclama Duncan, en proie à une foule d'émotions contradictoires. « Je suppose qu'ils ont fini par utiliser le numéro complémentaire que j'avais choisi.

— En effet, c'est ce qu'ils ont fait. Et bien que tu n'aies pas joué un dollar, ils ont décidé de partager les gains avec toi. Je ne sais pas si je me serais montré aussi généreux. »

Duncan refoula ses larmes. « Ils ont fait ça ! Waouh ! Ils sont formidables. Ils ne m'ont pas oublié. J'imagine qu'ils ne sont pas allés travailler aujourd'hui. Où sont-ils en ce moment ?

— À l'Auberge de Branscombe. C'est le quartier général de tous ceux qui sont à ta recherche. Tu vas voir leur réaction quand ils apprendront qu'ils peuvent arrêter les patrouilles.

— Pouvez-vous m'y conduire ? » le pria Duncan, se demandant comment il allait expliquer sa disparition d'un soir.

« Sûr », fit Enoch. Il lui donna une tape sur le bras. « La course te coûtera mille dollars. » Son rire s'éteignit dans une quinte de toux. « Bon, fit-il à la fin, c'est pas grand-chose. Je devrais te demander bien plus ! Il y en a qui croient que tu as disparu parce que tu as l'autre billet gagnant ! C'est complètement idiot. Suffit de te regarder. »

Duncan fixa la route droit devant lui tandis que le vieux pick-up d'Enoch bringuebalait sur la chaussée.

Voilà donc ce qu'on ressent lorsque l'on gagne à la loterie, pensa-t-il.

8

Horace Pettie et son assistante, Luella, mettaient la touche finale à la vitrine de la bijouterie spécialement décorée pour attirer le client lors du Festival de la Joie. Les affaires avaient été calmes et l'idée d'un Noël simple et traditionnel qui avait enthousiasmé la ville ne risquait pas d'améliorer la situation.

« Le message du Festival est une chose, disait Horace, mais un homme doit pouvoir gagner sa vie.

— C'est vrai, monsieur Pettie, approuva Luella. Vous avez eu une riche idée en créant une breloque pour commémorer ce week-end. Croyez-moi, ça va se vendre comme des petits pains.

— J'avoue sans trop me vanter qu'elles sont réussies, mes breloques », dit Pettie en élevant l'une d'entre elles à la lumière.

Elle représentait une couronne de houx en or dont le bord était orné de l'inscription :

« Festival de la Joie de Branscombe ». Il n'avait pas voulu y graver une date ni le mot « Premier », au cas où il y aurait des invendus. Si un festival était organisé l'année suivante, il pourrait épousseter le stock restant.

De petite taille, chauve, âgé de soixante-huit ans, Horace Pettie né à Branscombe était le seul bijoutier de la ville, comme l'avait été son père avant lui. Luella Cobb, une robuste blonde de cinquante ans, était employée chez lui depuis vingt ans, depuis que son plus jeune rejeton était entré au lycée. Elle n'aurait jamais voulu travailler ailleurs. Dès le jour de ses quatre ans où elle avait reçu en cadeau une boîte de perles, elle n'avait jamais cessé de porter sur elle une babiole ou deux. Sa passion pour la joaillerie en faisait une vendeuse hors pair pour Horace Pettie. « Les bijoux n'ont pas besoin d'être extrêmement coûteux, juste de bon goût », susurrait-elle à ses clients potentiels. Puis elle sortait inévitablement un article plus cher, le qualifiant avec admiration de « stupéfiant », « sublime », pour finir par s'extasier : « Il est fait pour vous ! »

Horace déposa la dernière des couronnes de houx en or sur un petit traîneau, puis il sortit sur le trottoir avec

Luella pour apprécier le décor de la vitrine. Il représentait un paysage d'hiver de conte de fées où brillaient les breloques du Festival suspendues à des rubans rouges.

Pettie soupira : « Nous y avons consacré beaucoup de travail. J'espère que cette devanture fera venir les clients dans le magasin. »

Luella posa ses mains sur ses hanches généreuses. Une expression pensive apparut sur son visage lourdement maquillé. Il faisait froid, mais ils avaient l'habitude de se tenir dehors pour inspecter leurs étalages et n'y prêtèrent pas attention. « Monsieur Pettie, j'ai une idée », commença Luella, l'excitation montant dans sa voix. « Je sais ce que nous pouvons ajouter à notre paysage pour attirer davantage l'attention.

— Quoi, Luella ? » demanda Pettie, avec la mine du chat sur le point d'attraper une souris.

Elle tapota la vitrine de son doigt manucuré. « La bague de Duncan ! Plaçons-la au milieu du traîneau.

— Je ne peux pas vendre la bague de Duncan ! protesta Horace.

— Il ne s'agit pas de la vendre », dit Luella avec impatience. « Nous ajouterons une pancarte disant : DUNCAN, REVIENS VITE, TU NOUS MANQUES. TA BAGUE T'ATTEND. »

Les yeux d'Horace Pettie s'arrondirent. « Toute la ville ne parle que de lui. Vous ne croyez pas que cela pourrait paraître plutôt indélicat ?

— Pas du tout ! C'est une preuve de solidarité ! En outre, la délicatesse ne règle pas les factures. »

Elle tourna les talons et regagna le magasin.

Horace la suivit, toujours aussi stupéfié par l'imagination de Luella pour développer les affaires.

« Allez chercher la bague dans le coffre », ordonna-t-elle.

Horace hésita.

« Monsieur Pettie, ne vous en faites pas. Je parie que Duncan se porte très bien – et je parie que c'est lui qui a l'autre billet gagnant, auquel cas il ne reviendra jamais chercher la bague.

— Après m'avoir obligé à la garder pendant des mois ? s'offusqua Horace.

— Exactement. » Luella agita la main. « Si c'est le cas, vous finirez par la vendre deux fois. Je l'achèterais volontiers pour moi, mais je crois que mon mari me tuerait. »

Horace se hâta vers l'arrière-boutique.

« Je vais confectionner la pancarte, puis je passerai un coup de fil, le prévint Luella. Lorsque j'aurai expliqué à Tishie Thornton tout le souci que nous nous faisons pour ce malheureux Duncan, il n'y aura pas une âme dans un rayon de cent cinquante kilomètres qui ignorera la présence de cette bague dans notre vitrine. Avec un peu de chance, une équipe de télévision débarquera avant le déjeuner. »

9

C'est probablement la décision la plus irréfléchie que j'ai prise de ma vie, pensa Fleur en regardant par la fenêtre du bus dans lequel elle était montée à Concord, dans le New Hampshire. Elle s'était fait une fête de passer Noël avec Duncan. Tous deux avaient émis le souhait qu'elle assiste au Festival de la Joie, même s'il risquait d'être très occupé, mais elle savait que ce n'était pas raisonnable. Elle avait déjà prévu de venir pour les vacances deux semaines plus tard, et les vols étaient si chers.... Mais l'autre jour, de manière inattendue, Mme Kane lui avait remis un chèque de deux mille dollars.

« Grâce à vous, Jimmy est très heureux au jardin d'enfants, avait-elle dit à Fleur. Il a toujours été si timide. Vous l'avez fait sortir de sa coquille. Je vous en prie, acceptez ce cadeau et offrez-vous quelque chose qui vous fasse particulièrement plaisir. »

Fleur n'avait pas mis longtemps à imaginer en quoi consisterait ce « quelque chose » – l'occasion de faire une surprise à Duncan en arrivant à l'improviste à Branscombe pour le Festival de la Joie. Elle espérait qu'on l'autoriserait à donner un coup de main chez Conklin, ce qui lui permettrait de rester avec Duncan pendant tout le week-end et de connaître les collègues dont il parlait tant. Récemment, il avait laissé entendre qu'il lui offrirait un cadeau spécial pour Noël. Elle espérait, sans trop y croire, que ce serait une bague de fiançailles.

Fleur avait pu prendre un jour de congé le vendredi. Le jeudi, avant de partir pour l'aéroport, elle avait appelé Duncan, mais il n'avait répondu ni sur son portable ni sur la ligne fixe. Il travaille probablement tard, avait-elle pensé. Elle n'aimait pas lui mentir, même un peu, mais il le fallait si elle voulait lui faire la surprise.

Elle laissa un message sur le répondeur. « Je suis sortie faire des achats de Noël. La batterie de mon portable est presque à plat. Lorsque je serai de retour à la maison, tu seras couché. Je te rappellerai demain matin. » Et elle termina par : « Je t'aime, Duncan. »

Elle savait qu'il ne pourrait pas lui parler quand elle serait en vol et elle ne voulait pas qu'il s'inquiète.

Dans l'avion, Fleur était trop excitée pour fermer les yeux. Chaque seconde la rapprochait de Duncan et elle allait enfin connaître Branscombe. Quand elle atterrit à l'aéroport de Logan, à six heures du matin, elle s'étonna de ne pas avoir de message de Duncan. Il en laissait toujours, même sachant qu'elle ne pourrait pas les recevoir.

Une heure et demie plus tard, pendant qu'elle attendait le départ du premier bus pour le New Hampshire, elle le rappela. Sans plus de résultat. Le cœur un peu serré, elle tenta de se rassurer. Il était peut-être sous sa douche. Elle laissa un message lui demandant de la rappeler sur le ton de la plaisanterie : « Tu vas me trouver folle. Il est quatre heures et demie du matin en Californie, mais je suis réveillée. J'ai trouvé bizarre de ne pas te parler hier soir avant de me coucher. Je vais me rendormir, mais si tu reçois mon appel, laisse-moi un message. » Elle éteignit son téléphone. Elle ne pouvait pas lui parler tant qu'elle était dans le bus, au cas où quelqu'un à côté d'elle aurait élevé la voix.

Elle avait pris le car pour Concord et changé pour le bus local à destination de Branscombe. Maintenant qu'elle approchait de la ville où habitait Duncan, l'inquiétude l'envahissait. Il n'avait toujours pas essayé de la rappeler.

Je vois des problèmes là où il n'y en a pas, se dit-elle. Et si Duncan n'avait pas envie de ce genre de surprise ? Il était si méthodique et organisé. Cette arrivée à l'improviste, alors qu'il était du genre à vouloir que tout soit parfait pour sa première visite, n'était peut-être pas une bonne idée après tout.

Tout au long du trajet, traversant la campagne enneigée, Fleur se persuada que tout irait bien. Quand le bus passa devant un panneau où était inscrit : BIENVENUE À BRANSCOMBE, elle eut la certitude qu'elle allait aimer cette ville. À la gare routière, elle descendit la première. Elle ralluma son téléphone. Toujours pas de message. Le cœur battant, elle alla aux toilettes se refaire une beauté.

Pas étonnant qu'ils aient baptisé ce vol « Yeux rouges », pensa-t-elle en contemplant sa mine épuisée. Elle se lava les dents, se rafraîchit le visage, se maquilla légèrement et se recoiffa. Je ne suis pas en beauté, mais peu importe, et je ne pense pas que Duncan s'en souciera.

Elle avait trouvé l'adresse de Conklin's Market sur le Web et imprimé l'itinéraire à partir de la gare. Le magasin n'était qu'à quelques blocs de distance. Une fois dans la rue, elle tourna sur sa droite, en direction de Main Street, et se mit à marcher, prenant plaisir à entendre la neige crisser sous ses pas. Au croisement, elle s'arrêta avant de tourner à gauche. Main Street avait le charme désuet qu'elle avait imaginé. Les lampadaires d'un modèle ancien, les rangées de boutiques pimpantes, les petits sapins de Noël décorés en bordure des trottoirs, tout était digne d'une carte postale. Duncan lui avait dit que les arbres s'illumineraient sur le passage du Père Noël à l'ouverture du Festival. Elle sourit à la vue d'une jeune femme qui sortait un bébé de sa poussette et l'asseyait dans le siège d'une voiture. C'est ce que j'aimerais faire un jour, pensa Fleur. Elle passa devant le drugstore, devant une agence immobilière. Puis, de l'autre côté de la rue, elle vit un homme et une femme postés devant la vitrine d'une bijouterie, en train d'examiner l'étalage. Ils travaillent sans doute ici, se dit-elle – aucun des deux ne portait de manteau. Elle les vit rentrer précipitamment dans la boutique. Si Duncan m'offre une bague pour Noël, peut-être l'a-t-il achetée là. Le doute revint alors la tarauder. Dans ce cas, pourquoi ne m'a-t-il pas appelée ?

Elle finit par arriver devant Conklin's Market. Un peu plus grand que dans son imagination, il possédait encore l'aspect d'un magasin de fournitures générales du XIXe siècle. La devanture était peinte en rouge et soulignée de noir. Sur l'enseigne on lisait : « Conklin's Market – Entrez, soyez les bienvenus. »

Mais quand Fleur eut franchi la porte, l'atmosphère ne lui parut en rien accueillante. Il y avait de longues queues à chaque sortie, avec des caissières qui faisaient leur travail en bougonnant. Elle eut l'impression que tous les employés étaient d'une humeur de chien.

Duncan lui avait raconté que le rayon des fruits et légumes était toujours installé à droite ou à gauche du magasin. N'en voyant aucune trace près de la porte d'entrée, Fleur traversa les allées jusqu'au mur le plus éloigné sur sa droite. Je vais lui dire rapidement bonjour et lui demander la clé de sa maison, pensa-t-elle nerveusement. Mais en arrivant devant le rayon, elle ne vit aucune trace de Duncan. Une femme aux cheveux noirs traversés par une mèche blanche s'emportait contre un très jeune homme. Des pommes s'étaient répandues sur le sol, roulant dans toutes les directions.

« Que s'est-il passé ? hurlait la femme.

— J'ai dû faire une pile trop haute.

— En effet ! Ramassez-les, remettez-les en place et déballez les bananes. Regardez-moi ces raisins ! Je vous ai dit de les vaporiser, pas de les noyer ! »

Oh, mon Dieu, pensa Fleur. C'est sans doute la femme du propriétaire, celle qu'ils appellent la Mouffette. Mais où est Duncan ? Il y a quelque chose d'anormal.

La femme se dirigeait vers elle.

« Excusez-moi, dit Fleur rapidement. Duncan Graham est-il là ? »

Un éclair de fureur traversa le regard de la femme qui répondit avec un ricanement : « Vous vous fichez de moi. D'où sortez-vous ? Il a gagné des millions à la loterie hier soir avec quatre autres bons à rien qui travaillaient ici. Il ne reviendra jamais. Et on parle de gratitude ! »

Hors d'elle, elle tourna les talons.

Avec l'impression d'avoir reçu un coup de poing dans l'estomac, Fleur baissa la tête pour cacher les larmes qui lui montaient aux yeux. Pourquoi ne l'avait-il pas appelée ? Mon premier geste, si j'avais gagné à la loterie, ou seulement joué, aurait été de le prévenir. Nous nous téléphonions pour les plus petites choses... Et même s'il pensait que la batterie de mon portable était à plat, il aurait laissé un message.

Une sombre pensée lui vint à l'esprit. Il ne m'a pas appelée parce que après avoir gagné à la loterie, il s'est dit qu'il trouverait quelqu'un de mieux. Ma mère avait raison. Elle accueillait la plupart des choses dans l'existence avec détachement, mais elle m'avait conseillé de réfléchir avant de m'engager avec un homme que j'avais connu par Internet et qui vivait à cinq mille kilomètres...

« Fleur, lui avait-elle dit, tu ne connais ni ses amis ni sa famille, tu ne sais pas où il habite. Sois prudente. »

Les paroles de sa grand-mère décédée résonnaient aussi dans ses oreilles : « Il faut connaître quelqu'un depuis un an avant de s'engager sérieusement. »

Duncan et elle s'étaient rencontrés sept mois plus tôt.

Je me suis couverte de ridicule, pensa Fleur en se frayant un passage à travers les caddies rassemblés autour des caisses. Mais je croyais le connaître. Il m'a promis l'autre soir de ne plus jouer à la loterie. Ses conseillers financiers lui ont dit que c'était de l'argent gâché. Qu'est-ce qui l'a fait changer d'avis ?

Fleur sortit avec soulagement du magasin. Elle ne cherchait même pas à cacher ses larmes. Je suis si fatiguée, songea-t-elle en chargeant son sac sur son autre épaule, s'apprêtant à regagner l'arrêt de l'autobus. Je vais devoir attendre des heures avant de trouver un bus qui reparte pour l'aéroport. Une femme d'un certain âge lui lança un regard de compassion en la croisant. Je parie qu'elle va se retourner et me demander si j'ai besoin d'aide. Je dois quitter la grand-rue au plus vite. Empruntant une ruelle entre deux magasins, elle traversa un parking et se retrouva sur une petite route de campagne.

En face d'elle se dressait une longue maison blanche portant une enseigne qui annonçait : LE REFUGE – MAISON D'HÔTES. C'est parfait, se dit-elle. Juste ce qu'il me faut. Je ne peux pas reprendre le bus tout de suite. J'ai besoin de me reposer et d'être seule.

Elle se mordit les lèvres, s'essuya les yeux et s'avança vers la maison. Un écriteau sur la porte invitait à sonner et entrer. J'espère seulement qu'ils ne sont pas complets, pensa-t-elle en appuyant son doigt sur le bouton. Elle ouvrit la porte et pénétra dans le petit vestibule. Sur le comptoir souriait un Père Noël électrique qui s'inclinait et agitait les bras. Sur sa gauche, elle aperçut un salon avec une grande cheminée, de confortables canapés, un tapis au crochet et un énorme arbre de Noël, resplendissant de guirlandes électriques, de décorations et de fils d'argent. Seul résonnait le tic-tac d'une horloge. Puis elle entendit des pas dans le couloir et une voix qui disait : « Je m'en occupe, Jed. »

Une femme d'allure imposante, ses cheveux gris noués en chignon, accueillit Fleur en s'essuyant les mains à son tablier. « Bonsoir, ma chère enfant. Vous êtes venue pour le Festival ?

— Euh, oui. Mais je ne peux rester qu'une nuit.

— Il nous reste une chambre libre. Agréable et tranquille, à l'arrière. Mais je dois vous prévenir : nous n'avons ni télévision ni radio ni Internet. » Elle rit. « Êtes-vous toujours intéressée ?

— Plus que jamais », dit Fleur, souriant malgré elle.

Après lui avoir remis sa carte de crédit et son permis de conduire, Fleur décela l'habituelle réaction devant son prénom. « Ainsi vous venez de Californie », dit la femme, sans manifester de surprise. Elle imprima sa carte sur une vieille machine dont Fleur n'avait jamais vu l'équivalent depuis des années. « Je m'appelle Betty Elkins. Notre pension est une affaire familiale. Nous ferons notre possible pour vous être agréable, il vous suffit de demander si vous avez besoin de quelque chose. Il y a quelqu'un en permanence. Nous servons le thé au salon à quinze heures avec des scones faits maison et de la crème. » Elle s'interrompit. « Vous avez entendu parler de notre festival jusqu'en Californie ?

— Oui », répondit Fleur, songeant tristement à ses conversations avec Duncan.

Elle se rendait compte que Betty Elkins brûlait d'envie d'en savoir davantage, mais un homme apparut à point nommé, visiblement son mari.

Betty se tourna vers lui. « Nous sommes complets, chéri », dit-elle joyeusement, avant de revenir vers Fleur. « Puis-je vous appeler Fleur ? demanda-t-elle.

— Bien sûr.

— Fleur, voici mon mari, Jed. »

Jed lui serra la main. « Je suis venu chercher vos bagages, mais il semble que vous n'avez pas grand-chose, excepté ce sac.

— En effet, dit Fleur avec un haussement d'épaules tandis qu'il la débarrassait sans poser plus de questions.

— Montre-lui la chambre, Jed. Je dois surveiller mes biscuits de Noël. Ils sont presque cuits. »

Jed précéda Fleur dans l'escalier et dans le couloir jusqu'à une chambre confortable tapissée de papier à fleurs jaunes, meublée d'un lit à baldaquin recouvert d'un quilt jaune à motif de jonquilles, d'un rocking-chair, d'une table de nuit et d'une commode. « La chambre convient parfaitement à une jeune fille portant votre prénom », fit-il remarquer en posant le sac sur une chaise. « J'espère que vous vous y plairez.

— J'en suis sûre. Merci. »

Quand elle eut refermé la porte derrière lui, elle mit le verrou, enleva son manteau, puis s'assit sur le lit et ôta ses tennis.

Je ne me suis jamais sentie aussi seule, pensa-t-elle. Je croyais sincèrement qu'il m'aimait. Mais s'il avait voulu rester avec moi après avoir gagné tout cet argent, il m'aurait certainement appelée à cette heure. Elle éteignit son téléphone portable, se renversa en arrière dans les oreillers moelleux et s'endormit sur-le-champ d'un sommeil agité.

10

Il était midi moins le quart lorsque les quatre Reilly s'engagèrent dans l'allée de la pittoresque Auberge de Branscombe, l'auberge séculaire de la ville. Une demi-douzaine de camions de télévision stationnaient déjà près de l'entrée.

« On dirait que la conférence de presse a du succès auprès des médias, fit remarquer Nora.

— C'est certain », dit Regan.

Son attention fut attirée par un homme d'une quarantaine d'années, rubicond, le cheveu rare, vêtu d'un jean, de chaussures de randonnée et d'une grosse parka et qui gesticulait devant un journaliste en train de le filmer. « Regardez ce type. Je me demande ce qui lui prend. Ce n'est sûrement pas un des gagnants de la loterie.

— Pourquoi pas ? suggéra Luke. Il vient peut-être de découvrir ce que le gouvernement va lui prendre au passage. »

Jack arrêta la voiture devant la porte d'entrée. « Je vais chercher un chariot pour les bagages. Portons-les à l'intérieur. Steve et Muffy doivent nous attendre. »

À peine étaient-ils entrés dans le hall animé qu'ils aperçurent leurs hôtes à l'autre bout de la pièce. « Quel beau couple, murmura Nora. Ce sera sûrement un atout durant la campagne. »

« Vous voilà enfin ! » s'écria Muffy en s'élançant vers eux. Ses cheveux blonds délicatement éclaircis retombaient en vagues sur ses épaules, retenus par un bandeau rayé vert et rouge. Une broche fantaisie représentant un traîneau était épinglée au revers de son tailleur vert émeraude.

Steve, un grand brun aux yeux marron, se tenait derrière elle. Il était vêtu d'un costume à fines rayures, d'une chemise blanche immaculée et portait une cravate qui reproduisait le motif du bandeau de Muffy. « Salut mon vieux, cela fait plaisir de te voir », dit-il à Jack en le serrant affectueusement contre lui. Une expression soucieuse assombrit soudain son visage, mais il salua le reste de la famille Reilly avec un plaisir sincère. « J'espère que vous avez fait bon voyage.

— Je l'espère aussi », ajouta Muffy, écourtant les formules de politesse. « Nora, gémit-elle, il faut que vous nous aidiez à remettre ce festival sur pied. Les gens ne s'intéressent plus qu'à cette stupide loterie. Et cet horrible producteur, Gary Walker, non content d'annuler notre interview, essaye de tourner ce festival et cette ville en ridicule.

— Nous avons vu un homme interviewé dans la rue qui semblait hors de lui, dit Nora. Un type en parka jaune et...

— C'est Harvey ! Son ex-femme Glenda fait partie du groupe qui a gagné à la loterie et ils ont divorcé il y a six mois, expliqua Muffy.

— Son ex-femme est aujourd'hui multimillionnaire ? demanda Jack. Ce n'est pas surprenant qu'il ne soit pas ravi. Je parie qu'il aimerait bien se rabibocher avec elle.

— Pas Glenda, dit Steve. C'est un pauvre type.

— Qu'est-il arrivé à ce garçon qui a disparu ? demanda Nora.

— On est toujours sans nouvelles de Duncan Graham, répondit Steve. On l'a recherché pendant toute la matinée. Mais ce fichu producteur insinue que c'est Duncan qui a acheté l'autre billet gagnant et qu'il a décampé. Tout le monde en ville ne parle plus que de ça. Il paraît que le bijoutier local expose une bague que

Duncan avait retenue en versant des arrhes voilà déjà six mois et qu'il devait retirer avant Noël. Les gens supposent qu'il a mis les voiles avec une petite amie.

— Et toute cette histoire arrive le premier jour de notre Festival de la Joie ! » s'exclama Muffy en levant au ciel ses grands yeux bleus. « Je n'arrive pas à y croire. »

Elle a visiblement opté pour la théorie de la petite amie, pensa Regan.

« Écoutez », dit Steve en regardant autour de lui et baissant la voix. « Un si grand nombre de journalistes a envahi la ville ce matin quand la nouvelle pour la loterie s'est répandue que j'ai cru nécessaire de tenir une conférence de presse et de les laisser faire leurs photos et rédiger leurs articles en une seule fois. »

Je parie que c'est l'idée de Muffy, pensa Regan. D'une manière ou d'une autre, elle va se débrouiller pour se trouver devant la caméra. Pas question pour elle de laisser passer ce moyen inespéré de communication.

« Je commencerai par quelques remarques générales, poursuivit Steve, puis je présenterai les gagnants de la loterie et ensuite, quand ils auront répondu aux questions, je mettrai l'accent sur le Festival et le fait qu'auront lieu pendant le week-end quantité de réjouissances et d'événements, comme la présence de Nora Regan Reilly venue vendre ses livres. »

Les médias ne s'intéressent qu'aux gagnants de la loterie, pensa Regan. Je parie que le reportage sur Steve et Muffy va finir à la corbeille au montage.

« Si vous le voulez bien, Nora, je vous présenterai après les interviews des gagnants, et peut-être pourrez-vous dire quelques mots à propos du Festival, suggéra Steve.

— Bien sûr », répondit Nora aimablement.

Steve fit signe à un employé derrière le comptoir. « Ces personnes sont nos invités – les Reilly, ajouta-t-il rapidement. Pouvez-vous faire monter leurs bagages dans leurs chambres, s'il vous plaît ? » Il prit la main de Muffy et conduisit ses hôtes jusqu'à un grand salon donnant dans le hall principal.

« Faites attention aux câbles », les prévint-il en entrant dans la pièce. « Il y en a partout. »

Les meubles avaient été repoussés le long du mur du fond. Les rangées de chaises pliantes installées pour les spectateurs et les journalistes étaient presque toutes occupées. Les caméras étaient braquées sur la table, au fond de la pièce, où étaient assis deux hommes et deux femmes. Une cinquième chaise, au milieu, était inoccupée.

« Voici nos gagnants », dit Steve.

Ils ont l'air plus épuisés que ravis, pensa Regan en les observant. De minces fils noirs au revers de leurs vêtements indiquaient qu'ils avaient été équipés de micros. Les deux hommes, un très jeune et l'autre d'âge moyen, s'entretenaient à voix basse. Une femme plus âgée s'efforçait en vain de rabattre les volants de son chemisier qui remontaient jusqu'à son menton. Mais c'était le désarroi qu'affichait le visage de l'autre femme qui retint l'attention de Regan. Elle est inquiète, pensa Regan.

Steve conduisit les Reilly à la table et les présenta rapidement aux gagnants. Le visage de Marion rayonna de plaisir en présence de Nora.

« Nora Regan Reilly. J'*adore* vos livres. Vous devriez écrire notre histoire… »

Regan se tourna vers Glenda. « J'imagine que vous êtes bouleversée à cause de votre ami.

— En effet, dit Glenda.

— Je suis détective privée, lui dit Regan. Et mon mari est le chef de la brigade des affaires spéciales de la police de New York.

Nous pourrions vous aider à le retrouver si vous le désirez. »

À ces mots, les yeux de Glenda s'illuminèrent. « Merci. Nous avons passé toute la matinée à chercher Duncan. Puis il a fallu nous préparer pour cette conférence. Nous avions promis au maire d'y assister.

— Quand vous êtes-vous rendu compte qu'il avait disparu ? » s'enquit Regan, qui se demandait si Glenda savait que son ex-mari était en train de donner une interview très personnelle à un journaliste à l'extérieur.

« J'ai essayé d'appeler Duncan hier soir, dès que nous avons su que nous avions gagné, mais je ne suis pas parvenue à le joindre. Ce matin, nous nous sommes arrêtés chez lui à sept heures moins le quart avant d'aller faire valider le billet, et il n'a pas répondu quand nous avons sonné. Nous avons pensé qu'il avait peut-être bu quelques bières de trop et qu'il dormait encore. Nous n'avions pas reçu la prime à laquelle nous avions droit et il était bouleversé en quittant son travail hier soir. Après avoir fait valider le billet, nous sommes retournés chez lui sans plus de succès. Nous avons en vain sonné à nouveau, frappé aux carreaux. Pour finir, Tommy a remarqué le porte-clés sur le contact de sa voiture. Craignant qu'il ne lui soit arrivé quelque chose, nous avons décidé d'utiliser la clé de sa maison pour entrer chez lui. Je me sentais gênée de faire irruption comme ça...

— J'aurais fait la même chose si j'avais eu des inquiétudes à propos d'un ami, dit Regan. Que les clés soient restées dans sa voiture m'aurait réellement alarmée.

— C'est ce que j'ai ressenti ! » Glenda s'éclaircit la voix : « La télévision était allumée, la lumière aussi, son lit n'était pas défait, il n'y avait aucun signe qu'il ait pris une douche et soit parti tôt... » Elle se tut. « Puis nous avons essayé de faire démarrer sa voiture et constaté que la batterie était à plat. Je suppose qu'il a su que nos numéros avaient gagné et que, terriblement frustré de ne pas avoir joué, il a décidé de sortir. Sa voiture refusant de démarrer, il est peut-être parti à pied et a pu avoir un accident ou une crise cardiaque. Je suis sûre qu'il n'a pas acheté l'autre billet de loterie », dit-elle avec un éclair farouche dans le regard. « Mais Tommy et Ralph sont persuadés du contraire, ils prétendent qu'il va très bien, que sinon il se serait présenté au magasin. Ils me reprochent d'avoir insisté pour inscrire son nom sur la liste des gagnants.

Si on découvre que Duncan encaisse l'autre billet, je crois qu'ils me tueront. C'est moi qui ai suggéré de partager les gains avec lui, bien qu'il se soit montré trop pingre et entêté pour sortir un malheureux dollar. »

Oh ! là ! là ! pensa Regan. Alvirah ferait mieux d'arriver au plus vite. Voilà au moins quatre nouveaux candidats pour son association de soutien aux gagnants de la loterie.

Steve consulta sa montre. « Il est midi. Nous devrions commencer. » Il fit signe aux Reilly de prendre les places au premier rang qu'il avait réservées à leur intention, puis se dirigea vers le podium et tira de sa poche une feuille pliée en quatre. Muffy à ses côtés, il tapota le microphone pour réclamer le silence.

« Bienvenue à tous au premier Festival de la Joie de Branscombe. Je suis Steve Patton, le maire de cette ville, et voici ma femme, Muffy.

— Bonjour tout le monde », dit Muffy avec un petit rire, en se penchant vers le micro. « Je ne saurais vous dire quel honneur et quel plaisir c'est pour moi d'être la première dame de Branscombe. Branscombe est une petite ville très particulière, différente des autres. À ceux d'entre vous qui n'habitent pas ici, nous souhaitons la bienvenue et espérons que vous resterez pendant toute la durée de notre festival. Nous vous promettons que vous vivrez des jours intenses et chaleureux...

— Merci, Muffy », la coupa Steve.

Muffy leva un doigt. « Une chose encore, chéri. Des billets sont encore disponibles pour le dîner de la municipalité demain soir et pour le brunch dimanche matin. Avec ce billet vous pourrez voir *La vie est belle*, de Frank Capra, qui sera projeté en continu dans l'auditorium de l'église. C'est un film que nous adorons tous, n'est-ce pas ? Je pleure chaque fois que je le revois. »

Regan admira la capacité de Steve à garder le sourire tandis qu'il s'efforçait de reprendre le micro.

« C'est un de mes films préférés », dit-il enfin. « Et maintenant, je voudrais vous présenter les gagnants de la loterie, qui sont la preuve vivante que Branscombe n'est pas seulement une ville heureuse, mais une ville qui porte *chance*, une ville où chacun se soucie de son voisin et se réjouit de sa bonne fortune. Ce cinquième siège est réservé à Duncan Graham, le collègue avec lequel ces personnes ont généreusement décidé de partager leurs gains, bien que, suivant l'avis de ses conseillers financiers, il ait préféré ne pas jouer cette semaine. » Steve se mit à rire. « J'aimerais bien savoir quels autres conseils ces types ont pu donner.

— Pouvez-vous nous dire leurs noms ? cria un journaliste.

— Je ne sais pas exactement. Nous communiquerons cette information plus tard. Pour le moment permettez-moi de vous présenter les quatre employés de Conklin's Market, qui, soit dit en passant est le fournisseur du Festival. »

Comme on proclamait leurs noms, les gagnants se levèrent et saluèrent de la main. Quand ils se furent rassis, Steve se tourna vers l'assistance. « Nous pouvons répondre à toutes vos questions à présent. »

Des mains se levèrent. Steve désigna une jeune femme armée d'un calepin au deuxième rang.

« Est-il exact, demanda la femme, que vous avez placé les photos que les Conklin vous avaient offertes devant le magasin, avec une note disant : "Bye, bye" ?

— C'est vrai ! répondit fièrement Marion. C'est même moi qui en ai eu l'idée.

— Estimez-vous que c'est une bonne façon de commencer le Festival de la Joie ? interrogea un autre journaliste. D'après nos informations, vous êtes, ou plutôt étiez, leurs principaux employés. Ne croyez-vous pas que vous auriez fait preuve de coopération et d'esprit de solidarité en travaillant pour les Conklin pendant ce week-end où ils auront certainement besoin de votre aide ?

— C'eût été faire preuve de solidarité de nous allouer la prime de Noël que nous étions en droit d'attendre, répliqua sèchement Ralph. Je peux vous dire une chose. Nous serions sur place en ce moment même, millionnaires ou pas, s'ils nous avaient traités équitablement. »

Eh bien, se dit Regan. Le Festival de la Joie démarre en fanfare.

Un autre journaliste se leva. « Il semblerait que votre collègue actuellement absent ait versé des arrhes voilà six mois pour retenir une bague à la Pettie's Jewelry Store, la bijouterie de Branscombe. Savez-vous s'il a une fiancée ? »

Ils secouèrent tous la tête.

« Je vois, continua le journaliste. J'ai une autre question à vous poser. Quelqu'un parmi vous pense-t-il que votre collègue, ou la personne à qui était destinée cette bague, aurait pu acheter l'autre billet gagnant ? »

Ralph et Tommy se consultèrent du regard avant de lever la main. « C'est ce que nous pensons maintenant », dirent-ils à l'unisson.

Marion parut perplexe. Elle se mordit les lèvres, puis agita ses mains en l'air, indiquant par là qu'elle n'avait pas d'opinion.

Glenda se leva d'un bond. « Non ! dit-elle avec véhémence. Il ne nous aurait pas trahis ainsi. J'ai horriblement peur qu'il ne lui soit arrivé quelque chose.

— Il m'est effectivement arrivé quelque chose ! » cria une voix depuis le fond de la salle.

Le souffle coupé, toute l'assistance se retourna pour voir un Duncan échevelé, pas rasé, s'avancer en boîtant vers le micro, la main droite agrippée à un malheureux bâton en guise de canne. « Je suis choqué que certains, en particulier Tommy et Ralph, aient pu me croire capable d'acheter un billet dans le dos de mes camarades, s'écria-t-il. Je n'ai pas acheté l'autre billet ! Je jure que je ne l'ai pas acheté ! »

Sa voix tremblait quand il atteignit l'estrade et fit face à l'assistance.

« Je le savais, Duncan ! s'écria Glenda.

— Pire encore ! Ce moment unique où un homme pose à la femme qu'il aime la question qui engage son existence a été gâché ! Je trouve répugnant qu'un bijoutier de cette ville ait pu violer mon intimité pour son seul profit ! »

Sur cette déclaration retentissante, Duncan, affaibli par la fatigue, la faim et la douleur, s'écroula dans les bras du maire.

11

Une heure après avoir pris la route pour Boston, Edmund et Woodrow Winthrop se réjouissaient encore bruyamment de leur incroyable coup de chance.

Woodrow était au volant de leur petite berline de location. « Gris foncé, passe-partout », avaient-ils précisé à l'employé du bureau de Rent a Car. Chacun d'eux possédait une Mercedes haut de gamme, contraire à l'image d'économie et de frugalité qu'ils souhaitaient donner à leurs clients.

C'était à celui qui trouverait les mots les plus percutants pour évoquer leurs gains.

« Cent soixante millions de gros billets, dit Woodrow.

— Cent soixante millions de beaux biffetons verts, renchérit Edmund.

— Cent soixante millions de pépètes », gloussa Woodrow.

De temps en temps, Edmund, toujours prudent, incitait Woodrow à ralentir. « Nous risquons de déraper sur une plaque de verglas et d'avoir un accident. Nous avons trop de choses à attendre de la vie.

— J'ai un passé de conducteur irréprochable, s'obstinait Woodrow.

— Dommage que l'autre le soit moins », dit Edmund sèchement.

Woodrow ricana. « C'est la paille et la poutre. Ton palmarès est tout aussi chargé que le mien. Grâce à Dieu, nous allons pouvoir nous ranger des voitures à partir de maintenant. Pourtant, ne plus jouer les escrocs me manquera.

— À moi aussi. Mais ça ne vaut pas le coup de continuer. Ce juge nous a menacés de nous boucler en taule à vie si jamais nous étions pris dans une autre affaire.

— J'aurais préféré ne pas être obligé de retourner à Branscombe pour la session finale.

— Tu crois que ça m'amuse ? Mais je te l'ai déjà dit, si nous leur faisons défaut pour le dernier cours, nos auditeurs risquent de s'inquiéter et de se mettre à comparer leurs billets à ordre. Nous leur dirons au revoir séparément en leur promettant un rapport sur le puits de pétrole jusqu'à ce que nous encaissions le fric et disparaissions. »

Woodrow garda le silence un moment avant de dire : « Edmund, j'ai une idée.

— Je t'écoute.

— Nous avons payé notre dû pour les autres arnaques. Pourquoi ne pas repartir de zéro ? Pourquoi ne pas rendre leur argent aux gens de Branscombe la semaine prochaine ? Nous n'en avons plus besoin. Nous leur dirons que le puits de pétrole n'est pas une valeur aussi sûre que nous l'avions cru en leur promettant de les avertir si d'autres investissements nous paraissent dignes d'intérêt. De cette façon, nous n'aurons plus à nous inquiéter d'avoir les Fédéraux aux trousses. »

Edmund fronça les sourcils. « Rendre leur argent à ces gens ? C'est contre nature. » Il fit mine de frissonner. « C'est contraire à tous mes instincts. De plus, nous nous sommes donné un mal fou pour les persuader de cracher ce fric.

— Eddie, c'est de la roupie de sansonnet à présent. Seize de nos dix-sept jobards ont investi dans ce terrain plein de graisse que nous avons qualifié de puits de pétrole. Combien avons-nous ramassé ? Soixante et onze mille dollars. Je peux t'assurer qu'il y en a un qui sera drôlement content de récupérer son argent – Duncan Graham. Peut-être recommencera-t-il à acheter des billets de loterie.

— Il doit nous vouer à tous les diables à l'heure qu'il est, dit Edmund en riant.

— Espérons qu'il ne se présentera pas au cours la semaine prochaine, dit Woodrow. Il serait capable de nous tuer.

— Je croyais que tu voulais le rembourser.

— Nous pouvons lui envoyer un chèque. »

Les yeux d'Edmund pétillèrent. « Woodrow, à quoi allons-nous nous occuper quand nous aurons touché tout cet argent ?

— Prendre du bon temps, voilà ce que nous allons faire.

— Toi et moi ensemble, n'est-ce pas ?

— Naturellement. On ne change pas une équipe qui gagne. Nous resterons toujours unis. »

Edmund s'agita nerveusement sur son siège. « Tu crois vraiment que tante Millie est la personne qui convient pour encaisser notre billet ?

— Elle est parfaite. C'est la seule de la famille qui nous a toujours aimés sans condition, quel que soit le pétrin dans lequel nous nous étions fourrés. Nous sommes ses uniques héritiers, Dieu soit loué, et il n'y aura personne pour lui conseiller de conserver le fric. Nous lui filerons un million de dollars pour faire le trajet jusqu'au bureau central de la loterie. » Il rit. « Tu la connais. Toute cette excitation va la ravir.

— J'espère seulement qu'elle n'a pas un casier dont elle ne nous aurait jamais parlé. »

Woodrow s'esclaffa. « Tu imagines ? Tante Millie interdite de casino.

— Si c'est le cas, elle a violé sa parole des milliers de fois. Elle devient démoniaque quand elle s'assoit devant ces machines à sous à Atlantic City. Tu te souviens de sa fureur lorsqu'ils ont commencé à informatiser les bandits manchots ? Elle disait que la moitié du plaisir était d'entendre toutes les pièces de monnaie tomber en cascade dans son seau. *Ding, ding.*

— C'est sûr que nous tenons plus d'elle que de nos mères, dit Woodrow. J'espère seulement qu'elle ne trahira pas notre confiance. » Il garda le silence un instant. « Ce n'est pas gentil de ma part de parler ainsi. Je sais qu'elle ne le fera pas. Nous lui rendrons visite à l'improviste la semaine prochaine après avoir renoncé aux plaisirs de Branscombe. »

Edmund se pencha en avant pour monter le chauffage. « La température extérieure s'est refroidie, fit-il remarquer. Il ne neige pas, c'est déjà ça. » Il mit la radio en marche.

« Ici WBZ à Boston. Une information de dernière minute de notre envoyée spéciale à Branscombe, New Hampshire, qui suit l'incroyable histoire du billet de loterie. Qu'avez-vous de nouveau, Ginger ?

— Bob, il se passe vraiment des choses étonnantes par ici. L'employé disparu, Duncan Graham, que ses généreux collègues avaient décidé d'associer à leurs gains à la loterie bien qu'il ait renoncé à jouer avec eux... »

Woodrow siffla. « À la bonne heure ! Duncan est donc toujours introuvable ? » Il se pencha et augmenta le volume.

« ... Vient d'arriver voilà quelques instants à l'Auberge de Branscombe, où se tient en ce moment même une conférence de presse avec les autres employés. Il semble qu'il ait traversé quelques moments pénibles. Il s'est montré choqué et furieux en apprenant que deux de ses associés le soupçonnaient d'avoir acheté le deuxième billet gagnant derrière leur dos. »

« C'est sûr qu'il ne l'a pas fait », dirent Woodrow et Edmund d'une même voix.

« Il a sans doute été victime d'un accident, car il s'est avancé en boitant vers l'estrade, s'appuyant sur un malheureux bâton qui semblait sorti d'une poubelle. Il a nié farouchement avoir acheté l'autre billet, mais s'est surtout indigné que toute la ville ait su qu'il avait acheté une bague de fiançailles pour sa petite amie. Il était tellement ému qu'il s'est évanoui sur l'estrade ! »

« Il est tombé dans les pommes ! » s'exclama Bob avec un ton inquiet de circonstance. « Est-il remis à présent ?

— On l'emmène hors de la salle en ce moment. Je vous tiendrai au courant.

— Se rend-il compte que ses collègues ont partagé avec lui les gains du billet gagnant et qu'il est à la tête de douze millions de dollars ?

— Je ne saurais vous dire.

— S'il l'ignore, il aura une jolie surprise à son réveil. Merci, Ginger. Et maintenant, la météo... »

Woodrow et Edmund se regardèrent.

« Voilà qui nous tire d'affaire vis-à-vis de Duncan, dit Edmund en riant. Il n'a pas perdu un cent en suivant notre conseil. Ses collègues sont complètement fous. Ils lui font partager des millions. Nous n'aurions jamais fait un truc pareil.

— Certainement pas. »

Woodrow se tapa sur la cuisse. « Tu as raison, Edmund. Nous aurions empoché au moins onze de ses douze millions. » Il appuya brusquement sur le frein. Des travaux ralentissaient la circulation.

Edmund secoua la tête. « Parler de ce billet me donne une furieuse envie d'y jeter un coup d'œil », dit-il en prenant son portefeuille dans sa poche de poitrine. Souriant à l'avance, il sortit le sac en plastique et en retira le billet.

Woodrow tourna la tête dans sa direction. « Ce joli petit morceau de papier vaut cent soixante millions de dollars.

— C'est exact », dit Edmund en vérifiant les numéros sur le billet qu'il était en train de déplier.

Un sentiment de pure panique le saisit tout entier, une sensation qu'il n'avait jamais éprouvée auparavant, même pas le jour où il avait été condamné à huit ans de prison. Un gémissement s'échappa de ses lèvres.

« Qu'est-ce que tu as ? s'écria Woodrow.

— Ces numéros... ce ne sont pas les bons. Je croyais... je croyais que le numéro complémentaire était le 32.

— Et alors ?

— Le numéro complémentaire était bien le 32, hein ?

— Oui, certainement.

— Le numéro complémentaire de ce billet est le 18.

— Qu'est-ce que tu racontes ? » hurla Woodrow.

Edmund poussa soudain un hurlement à glacer les sangs. « Il est daté du 12 juin !

beugla-t-il. C'est un vieux billet ! Ce n'est pas notre billet gagnant ! Oh, nooon ! »

Woodrow lui arracha le billet des mains. « Tu essayes de me filouter, hein ?

— Comment oses-tu dire ça ? Comment oses-tu ? Nous avons vérifié les numéros ensemble quand nous l'avons mis dans le congélateur. Mais nous ne les avons pas contrôlés en le reprenant. Quelqu'un est venu échanger les billets. C'est sûr. Tu es un fieffé idiot. Je savais qu'il ne fallait pas laisser le billet derrière nous. Je le savais.

— Qui a pu entrer dans la maison ? Nous nous sommes assurés que toutes les portes étaient fermées. Et nous ne nous sommes pas éloignés longtemps.

— Tu te souviens que nous avons cru entendre un bruit au sous-sol, et que nous n'avons pas pris la peine d'aller vérifier. Nous étions trop occupés à nous congratuler et nous avons pensé que c'était la vieille chaudière... »

Les yeux de Woodrow lui sortaient presque de la tête. « Nous avons entendu ce bruit sourd. Je voulais aller voir mais tu m'as dit de laisser tomber. » Il désigna la radio. « Ils disent que Duncan avait disparu hier soir. Il vient de réapparaître et il boite. Cette foutue porte latérale qu'empruntent nos auditeurs n'est jamais verrouillée. »

Il regarda Edmund. « Je parie qu'il est revenu dans l'intention de s'en prendre à nous quand il a réalisé que le numéro qu'il n'avait pas joué avait gagné ! Il a dû nous entendre nous réjouir ! Il nous a espionnés !

— C'est sûrement lui ! s'écria Edmund. Qui d'autre aurait pu faire le coup ? »

Les tempes battantes, le visage cramoisi, Woodrow donna un grand coup d'accélérateur et franchit la bande centrale en dépit de toute réglementation. « On va récupérer ce billet fissa ! »

Edmund se laissa aller lourdement dans son siège. « Tu es sûr d'avoir toujours été un conducteur irréprochable ? »

12

Dans les nuages au-dessus du New Hampshire, Willy regarda par le hublot du jet qu'Alvirah et lui avaient loué à l'aéroport de Westchester. C'est bien la dernière chose que je m'attendais à faire aujourd'hui, pensa-t-il, puis il tourna la tête vers Alvirah qui souriait d'un air ravi de l'autre côté du couloir. Elle tendit la main vers lui.

« J'ai été bien inspirée d'appeler Rent a Jet quand nous avons appris que de l'huile s'était répandue sur le Connecticut Turnpike.

— Une inspiration coûteuse, commenta Willy. Nous ne gagnons que quelques heures par rapport à la route et cela nous coûte cinq mille dollars.

— Le trajet aurait été trop long pour toi.

— Alvirah, j'adore conduire. »

Avec un geste théâtral, elle toucha le bandage qui entourait son front. « Quand j'étais petite et que je me faisais mal, ma mère m'offrait toujours un cadeau pour me consoler. Lorsque je me suis cassé le bras en descendant sur la rampe de l'escalier, elle m'a acheté une nouvelle poupée avec deux costumes. Je me suis sentie presque guérie. Elle ne m'a même pas grondée de m'être montrée aussi stupide. Cet avion est mon cadeau de prompt rétablissement. En outre, il est bon de s'accorder un petit extra de temps en temps.

— Tu as raison, Alvirah.

— Il y a autre chose. Je m'inquiète pour ces gagnants de la loterie. Il semble qu'ils aient besoin d'aide. Si nous étions en voiture, nous n'arriverions pas avant la nuit. »

Il était midi quinze et ils entamaient leur descente vers le petit aéroport local situé à quinze kilomètres de Branscombe.

Alvirah finit le dernier des bretzels qu'elle avait grignotés pendant le vol. « Ils étaient rassis, murmura-t-elle à Willy en chiffonnant l'emballage, mais j'avais faim. »

Le pilote avait commandé une voiture qui les conduirait à l'Auberge de Branscombe, leur hôtel. Quand ils atterrirent, une longue limousine blanche les attendait sur le tarmac.

« Je m'appelle Charley », dit le chauffeur en chargeant leurs valises dans le coffre.

« Soyez les bienvenus au Festival de la Joie.

— A-t-on retrouvé ce type qui a disparu ? demanda Alvirah avec intérêt.

— Oh, vous avez entendu parler de lui ?

— Mme Meehan est au courant de *tout* », expliqua Willy.

Charley referma le coffre. « Figurez-vous qu'il vient d'arriver en clopinant à la conférence de presse, il y a quelques minutes. Il a nié avoir acheté l'autre billet gagnant avant de tomber dans les pommes. Il va se remettre, mais c'est sûr qu'il a dû passer une drôle de nuit. »

Les yeux d'Alvirah s'agrandirent. « Vous croyez qu'il a acheté l'autre billet ?

— Qui sait ? Pour vous dire la vérité, je suis passé il y a quelques minutes devant l'endroit où il a été vendu.

— Où ça ?

— Un petit magasin d'alimentation, un peu plus loin sur la route.

— Les bretzels que j'ai mangés dans l'avion m'ont donné soif. Nous nous y arrêterons en route pour acheter de l'eau.

— Vous en faites pas, j'ai toutes les bouteilles d'eau voulues dans la voiture pour mes passagers », dit Charley en leur ouvrant la portière.

Alvirah frissonna en montant à l'arrière de la limousine. « Écoutez, j'ai un peu froid. Une tasse de café me ferait le plus grand bien.

— Il y a une cafétéria sur le trajet qui sert le meilleur…, commença Charley.

— Ne perdez pas votre temps, l'interrompit Willy. Rien n'empêchera ma femme d'aller jeter un coup d'œil à ce magasin d'alimentation.

— Compris », dit Charley en refermant la portière derrière eux.

13

« Appelez une ambulance ! » cria Steve en allongeant Duncan sur le sol et en ouvrant sa parka.

« Je sais ce qu'il faut faire ! déclara Muffy. J'ai été surveillante de baignade. » Tombant à genoux, elle saisit le poignet de Duncan et lui tâta le pouls. « Le cœur bat toujours ! » annonça-t-elle avec emphase.

Regan et Jack avaient été les premiers à s'élancer vers l'estrade. « Muffy, vérifiez s'il a une carte de santé dans son portefeuille », suggéra Regan.

Duncan ouvrit soudain les yeux. « Je n'ai aucun problème de santé. Absolument aucun. » Les caméras ne cessèrent de tourner pendant qu'il tentait de s'asseoir. « S'il vous plaît ! Je vais bien. J'ai mal à la jambe, c'est tout. »

Glenda s'était précipitée à son côté tandis que photographes et journalistes se bousculaient, avides de saisir l'action sur le vif. « S'il vous plaît, reculez », plaida-t-elle, puis elle se tourna vers Steve. « Emmenons Duncan hors de cette salle. »

Jack et Steve assirent Duncan sur une chaise et l'emportèrent rapidement en fendant la foule.

Le directeur de l'hôtel les conduisit dans une pièce à l'écart, au bout du hall. « Lorsque l'ambulance arrivera, je vous enverrai les infirmiers, dit-il.

— Je vais bien, insista Duncan. Il faut peut-être faire une radio de ma jambe, c'est tout. J'ai faim et soif et je voudrais prévenir ma fiancée. Glenda, peux-tu me prêter ton portable ? J'ai laissé le mien à la maison », dit-il tandis que Jack et Steve l'aidaient à descendre de la chaise et l'installaient avec précaution sur le lit.

« Tiens, Duncan. Quel est son numéro ? »

Duncan le lui donna rapidement puis saisit l'appareil que Glenda lui tendait et le colla à son oreille. « Elle est sur répondeur », dit-il d'un ton dépité. Il parla plus doucement : « Fleur, je t'aime. Il faut que je t'explique. Je n'ai pas mon portable avec moi...

— Dis-lui de te rappeler sur le mien. »

Glenda lui communiqua son numéro.

Duncan le répéta dans le téléphone. « Je vais essayer de te joindre à ton bureau. Il faut absolument que je te parle. » Il ferma l'appareil. « Glenda, tu veux bien que j'appelle les renseignements ? La communication est payante. »

Glenda sourit. « Tu oublies que je suis multimillionnaire ? Et toi aussi par la même occasion.

— Ce n'est sûrement pas désagréable », dit le maire en tendant à Duncan un verre d'eau qu'il s'était empressé d'aller chercher.

« Il n'y a pas de meilleure amie que toi, Glenda », dit Duncan après avoir bu jusqu'à la dernière goutte.

« C'est certain, dit Jack en riant. Je me demande si je trouverais des amis prêts à partager des millions avec moi. »

Duncan appela le jardin d'enfants où travaillait Fleur et se renfrogna en apprenant que son patron lui avait accordé une journée de congé. « *Vraiment ?* Je m'étonne qu'elle ne m'en ait rien dit. Très bien, je vais attendre qu'elle me rappelle. »

Il raccrocha, composa les numéros de sa ligne fixe et de son portable et écouta les messages que Fleur y avait laissés. « Ah, la pauvre chérie n'a pas fermé l'œil de la nuit. J'espère qu'elle va me joindre au plus vite. » Il appela ensuite ses parents et leur laissa un message. Puis il rendit son téléphone à Glenda et se tourna vers Jack et Steve.

« Merci mes amis, je ne veux pas vous retenir. Je vais attendre tranquillement ici l'arrivée de l'ambulance.

— Comment vous êtes-vous blessé à la jambe ? demanda Jack.

— Je suis tombé, répondit Duncan précipitamment. Ce n'est pas très grave… Merci encore de votre aide. Si vous n'y voyez pas d'inconvénient, j'aimerais dire quelques mots à Glenda.

— Je vais t'accompagner à l'hôpital, dit Glenda avec fermeté. Pas question que tu restes seul.

— Tu es vraiment chouette. Je n'arrive toujours pas à croire que Ralph et Thomas aient pu supposer… »

Une expression de détresse envahit son visage.

« Nous allons vous laisser seuls tous les deux », dit Jack. Steve et lui rejoignirent le reste de la famille Reilly qui attendait dans le couloir.

« Glenda ! » murmura Duncan quand ils furent seuls. « Il faut que je te confie quelque chose ! »

L'inquiétude assombrit le visage de Glenda. « Duncan, ne me dis pas que tu as acheté l'autre billet.

— Non ! Je ne l'ai pas acheté. Mais ma vie est en danger…

— Que veux-tu dire ? »

Duncan lui rapporta rapidement les événements de la soirée précédente. « ... jette un coup d'œil là-dessus. » Il fouilla dans la poche intérieure de sa parka et en sortit son portefeuille.

Stupéfaite, Glenda lui prit des mains le billet de loterie qu'il lui tendait et vérifia les numéros. « Tu l'as *volé* dans leur congélateur ?

— Oui ! Je ne pourrai jamais l'encaisser, mais je ne veux pas qu'ils en profitent. La seule chose qui m'intéresse, c'est que ces deux types soient arrêtés pour avoir extorqué à des innocents l'argent qu'ils avaient acquis à la sueur de leur front. Si je l'encaisse, ils sauront que c'est moi qui l'ai volé, et je ne pourrai plus fermer l'œil de la nuit, de crainte de les voir un jour pénétrer par la fenêtre de ma chambre pour me tuer. En outre, tout le monde croirait que j'avais l'intention de vous arnaquer, même si je partageais les gains.

— Tu sais très bien que si tu n'avais pas communiqué nos numéros à ces deux escrocs nous aurions partagé tout le magot, dit-elle amèrement.

— Je suis désolé ! Mais n'oublie pas que c'est mon numéro complémentaire qui a gagné.

— Je plaisantais, Duncan.

— Tu sais, Glenda, plus j'y pense, plus je crois que ce ne sont pas de simples escrocs – ils sont dangereux. » Ils entendirent la sirène de l'ambulance au-dehors. « Glenda, que dois-je faire à présent ? »

Glenda pointa son doigt vers le couloir. « Cet homme qui a aidé le maire à te porter ici. C'est le patron de la brigade des affaires spéciales de la police de New York. Et sa femme est détective privée. Avant ton arrivée, ils nous ont offert leur aide pour te retrouver. Tu devrais leur parler.

— Tu crois qu'on peut leur faire confiance, qu'ils ne diront rien au sujet du billet et qu'ils feront arrêter ces escrocs ?

— Oui, je le crois, Duncan. »

Muffy fit irruption dans la pièce, portant un plateau, une équipe de télévision sur les talons. « Duncan, nos merveilleux ambulanciers bénévoles vont arriver d'une minute à l'autre. Mais goûtez cette délicieuse gaufre faite maison avant de partir. »

Glenda avait instinctivement refermé la main sur le billet de loterie. Elle lança à Duncan un regard interrogateur.

« Glenda », dit-il en lui faisant un signe de tête, « tu pourrais suivre cette affaire et venir ensuite me retrouver à l'hôpital.

— Suivre quelle affaire ? » questionna Muffy avec curiosité au moment où des hommes en uniforme arborant le blason de Branscombe entraient dans la pièce en poussant une civière.

14

Charley ralentit et arrêta la limousine près de l'unique pompe à essence du petit magasin à l'enseigne d'Ethan's Convenience Store. Un bandeau dans la vitrine proclamait : UN BILLET DE LA MÉGALOTERIE D'UNE VALEUR DE 160 MILLIONS DE DOLLARS A ÉTÉ VENDU ICI.

Charley n'eut pas le temps d'ouvrir la portière qu'Alvirah était déjà dans la boutique, Willy sur ses talons. Un cameraman et un jeune journaliste se précipitèrent vers eux.

« Je suis Jonathan Tuttle, de la chaîne BUZ, dit le journaliste, surexcité. À vous voir arriver dans une limousine, je parie que c'est vous la gagnante. »

Alvirah resta sans voix pendant un instant avant de répliquer très vite : « Désolée de vous décevoir », et tandis que le cameraman arrêtait de tourner et que le journaliste abaissait son micro, elle ajouta :

« Mais nous avons gagné quarante millions de dollars à la loterie il y a plusieurs années. »

« Remets en marche », ordonna Tuttle, considérant Alvirah et Willy avec un regain d'intérêt. « Attendez. N'avez-vous pas été déjà interviewés sur notre chaîne ?

— Si. Je suis Alvirah Meehan et voici mon mari, Willy. Votre présentateur Cliff Bailey m'invite toujours lorsque de nouveaux gagnants à la loterie font parler d'eux.

— Bien sûr, dit Tuttle. Qu'est-ce qui vous amène dans la région ?

— Nous venons pour le Festival de la Joie de Branscombe.

— Notre chaîne va réaliser un reportage là-dessus.

— C'est ce que j'ai vu ce matin.

— Savez-vous que deux billets gagnants de la mégaloterie ont été vendus dans la région – l'un ici et l'autre à Branscombe ?

— Oui. Nous espérons pouvoir rencontrer les gagnants à Branscombe et les féliciter personnellement.

— Avez-vous un conseil à leur donner ?

— Qu'ils coupent leurs téléphones », grommela Willy.

Alvirah rit. « Willy veut dire qu'un tas de gens vont les appeler avec des idées abracadabrantes sur la meilleure manière de dépenser leur argent.

— Je peux l'imaginer, dit Tuttle. Merci, madame Meehan. »

Alvirah jeta un coup d'œil dans le magasin. Sur le mur du fond était accrochée une silhouette en carton du Père Noël et de son renne se posant sur un toit. Des décorations rouge vif étaient suspendues à un arbre en plastique perché sur une table dans un coin. Des guirlandes d'ampoules clignotantes ornaient le rayon des produits laitiers.

Un octogénaire à l'air alerte, en chemise à carreaux et nœud papillon rouge, se tenait derrière le comptoir près de la caisse enregistreuse. « Que puis-je faire pour vous ? demanda-t-il.

— Nous voudrions deux grands cafés à emporter, s'il vous plaît, dit Alvirah.

— Tout de suite.

— Êtes-vous Ethan ? demanda-t-elle.

— C'est moi.

— Vous devez être ravi d'avoir vendu un des deux billets gagnants, fit remarquer Alvirah pendant qu'il servait les cafés.

— C'est sûr. Ça me change de l'ordinaire. Mais avant que vous le demandiez, laissez-moi répondre à la question que tout le monde me pose au téléphone depuis ce matin. Je ne sais pas qui l'a acheté, je n'ai pas de caméra de surveillance, donc pas de bande vidéo. Quant à ce type dont on parle, j'ignore tout de lui. Je ne sais pas à quoi il ressemble, et même si on me montrait sa photo, cela n'y changerait rien. S'il ne fait pas partie de mes clients habituels, impossible de m'en souvenir. »

Alvirah hocha la tête. « Vous avez répondu à toutes mes questions. »

Avec un petit rire, Ethan ferma soigneusement les couvercles des gobelets en carton. « C'est peut-être dû à mon âge, mais au bout d'un moment tous les gens qui entrent et sortent finissent par se confondre. Hier j'avais l'impression que les automobilistes qui prenaient de l'essence s'offraient tous un billet. Je ne savais plus où donner de la tête.

— Quand le gros lot atteint cette somme, dit Willy, les gens veulent faire partie du rêve. Avoir gagné à la loterie a certainement transformé notre vie. Alvirah, veux-tu autre chose que du café ?

— J'achèterais volontiers quelque chose à grignoter », répondit Alvirah en regardant le comptoir encombré de paquets de chewing-gums, de bonbons et de donuts.

Ses yeux s'arrêtèrent sur un panier de caramels de Noël enveloppés de papillotes à rayures rouges et vertes.

« Ces caramels sont-ils vraiment bons ? interrogea-t-elle.

— À un dollar pièce, il vaut mieux qu'ils le soient. Je les ai fait rentrer l'autre jour. » Il haussa les épaules. « J'en ai goûté un ou deux. Ils sont délicieux. Mais, par les temps qui courent, les gens qui ont un dollar de trop préfèrent le dépenser en achetant un billet de loterie plutôt qu'une friandise.

— Nous allons en prendre une douzaine », dit Willy. Il regarda Alvirah. « C'est mon cadeau de prompt rétablissement. »

15

Fleur fut tirée du sommeil en sursaut. Elle faisait un cauchemar : elle était agrippée à un surplomb au-dessus d'un précipice et essayait de se hisser à la force du poignet. Ses doigts lâchaient prise, elle tentait d'appeler à l'aide mais aucun son ne sortait de sa bouche. Elle ouvrit les yeux et vit le mur tendu d'un papier fleuri qui ne lui était pas familier. Où suis-je ? se demanda-t-elle. Encore effrayée par son rêve, elle remercia le ciel de s'être réveillée, puis la réalité l'assaillit et elle se souvint de l'endroit où elle était et de la raison qui l'y avait amenée.

Le cœur lourd, elle jeta un coup d'œil à sa montre. Une heure dix. Elle avait à peine dormi quelques heures. Mais elle avait faim et mal à la tête. Avaler un sandwich et une tasse de thé lui ferait du bien, ensuite elle essayerait de réserver un vol de retour dans la soirée. Son téléphone portable était sur la commode. Je ne veux pas l'allumer tout de suite, décida-t-elle. Même s'il y a un message de Duncan, je ne veux pas l'entendre s'excuser platement ou suggérer que nous ferions mieux d'être seulement amis.

Elle se rendit dans la petite salle de bains et se rafraîchit le visage. Si les choses étaient différentes, je n'aurais pas hésité à me prélasser dans cette jolie baignoire ancienne, pensa-t-elle tristement, revoyant sa mère à la maison qui s'attardait toujours longuement dans son bain couleur turquoise avec des algues flottant autour d'elle.

« C'est tellement apaisant, Fleur », disait-elle, humant le parfum de lavande des bougies qui faisaient partie du rituel. « Je ne comprends pas que tu n'en fasses pas autant. »

Même toute petite, je préférais un simple bain chaud et du savon naturel, se rappela Fleur. Comme Nana qui disait que le seul endroit où les algues sont à leur place est la plage, et non pas dans les baignoires dont elles obstruent les tuyaux de vidange. Elle poussa un soupir. Six années s'étaient écoulées et Nana lui manquait toujours autant.

Assez de souvenirs, décida Fleur, soudain impatiente. Je vais manger quelque chose, prendre une douche rapide et m'en aller sans plus attendre.

Quand elle quitta sa chambre, seul le craquement du plancher sous ses pas troubla le silence qui régnait dans le couloir. Betty avait dit que la maison était pleine mais il n'y avait apparemment pas âme qui vive dans les parages. Elle descendit l'escalier jusqu'au rez-de-chaussée.

Elle ne vit personne non plus derrière le comptoir de l'entrée, et le salon attenant était désert. Pourtant une odeur alléchante de gâteau au chocolat flottait dans l'air. Betty est un vrai cordon-bleu, pensa Fleur en se dirigeant vers l'arrière de la maison. Elle frappa à la porte de la cuisine.

« Hou-hou ! répondit Betty. Entrez !

— C'est moi », dit Fleur en poussant la porte battante et en pénétrant dans la vaste cuisine traditionnelle.

Au fond de la pièce, un feu flambait dans la cheminée, devant laquelle étaient disposés deux confortables fauteuils rembourrés. Suspendues au plafond, des casseroles et des poêles en cuivre étincelaient. Des rideaux à carreaux encadraient les deux grandes fenêtres de part et d'autre de la porte du fond. À l'extérieur, Fleur aperçut un petit bâtiment rouge semblable à une vieille grange.

Penchée sur le four, Betty examinait un cure-dent qu'elle tenait dans sa main droite. Elle avait une expression d'intense concentration. « Je suis à vous tout de suite, Fleur, dit-elle d'un ton joyeux. J'aime que mes biscuits soient cuits à point. Une minute de plus et celui-ci serait un brin trop sec. Je le dis et le répète, tout est dans la cuisson. » Elle retira le moule du four et le posa sur une grille à côté de la cuisinière.

« Si son goût égale son odeur, je suis sûre qu'il est parfait. »

Betty se tourna vers elle avec un grand sourire. « Je suis ma meilleure cliente », dit-elle en essuyant ses larges mains sur son tablier. « C'est pourquoi je n'aurai jamais la taille mannequin. Dites-moi, je m'étonne de vous voir apparaître si tôt. Vous aviez l'air si fatiguée en arrivant que je m'attendais à vous voir dormir pendant des heures.

— C'est ce que je croyais moi aussi, mais je pense que la faim m'a réveillée. Serait-il possible d'avoir quelque chose à manger ?

— Bien sûr, mon chou. Jed et moi venons de prendre un peu de mon potage de légumes pour le déjeuner. En voulez-vous un bol avec un petit pain chaud ?

— Je ne pourrais rêver mieux.

— C'est parfait. Désirez-vous manger ici ou monter un plateau dans votre chambre ? »

Le ton amical de Betty réconforta Fleur qui se sentit soudain moins seule. « Ici, si je ne vous dérange pas.

— Vous ne me dérangerez pas du tout. Je suis toujours contente de voir mes clients faire un tour dans la cuisine et d'avoir l'occasion de bavarder avec eux. Vous êtes pâlotte. Vous ne voulez pas vous asseoir ? » demanda-t-elle en indiquant la table de bois vétuste.

Cinq minutes plus tard, Fleur dégustait son potage avec appétit et Betty, une tasse de thé à la main, s'était installée sur une chaise en face d'elle.

« Ce potage est un délice, dit Fleur.

— J'aime bien qu'on apprécie ma cuisine. » Betty but une gorgée de thé et poursuivit : « Ainsi, le Festival de la Joie a finalement lieu. Tout le monde en parle depuis des mois. Allez-vous assister ce soir à la cérémonie aux chandelles ? »

Fleur éclata en sanglots.

« C'est bien ce que je pensais », dit gentiment Betty, une expression bienveillante sur le visage. « Il s'agit d'un homme, n'est-ce pas ?

— Oui. »

Fleur s'essuya les yeux. Son nez se mit à couler.

Betty fouilla dans sa poche à la recherche d'un paquet de mouchoirs en papier. « Allons, allons », fit-elle, en entendant un à Fleur.

« Je suis désolée », s'excusa Fleur en se tamponnant les yeux avant de se moucher.

« Il ne faut pas être désolée. Vous êtes une jolie et charmante jeune fille. Celui qui vous rend malheureuse ne vaut certainement pas une seule de vos larmes. » Elle étendit le bras à travers la table et prit la petite main de la jeune fille dans la sienne. « Peut-être aimeriez-vous en parler ? »

Fleur hocha la tête et posa sa cuiller. « Mon petit ami, ou plutôt mon ex-petit ami, vit à Branscombe. J'ai pris l'avion dans l'intention de passer le week-end avec lui. Je voulais lui faire la surprise. En arrivant ce matin, je suis allée à Conklin's Market, où il travaille, et j'ai découvert qu'un groupe de ses collègues et lui avaient... gagné... gagné à la loterie hier soir ! » Elle pleura de plus belle puis reprit sa respiration avant de continuer : « Il n'a même pas appelé pour me le dire. Depuis juin dernier, nous nous téléphonons au moins deux fois par jour et toujours le soir. Il n'a pas appelé hier soir. Je lui ai laissé des messages, il ne m'a jamais rappelée. J'ai compris que maintenant qu'il a tout cet argent, il veut pouvoir en profiter sans moi !

— C'est proprement *écœurant* ! » s'indigna Betty. Elle se pencha en avant. « Certains des employés de Conklin's Market ont donc gagné à la loterie ? »

Fleur répondit dans un hoquet : « Oui.

— Comment s'appelle votre ami ?

— Duncan Graham. Il est responsable du rayon des fruits et légumes.

— Duncan ? Je suis étonnée. Il m'a toujours paru si gentil. »

Un torrent de larmes jaillit à nouveau des yeux de Fleur qui se mit à sangloter.

Betty se leva de sa chaise. « Je suis navrée », dit-elle. Elle fit le tour de la table et attira la tête de Fleur contre son ample poitrine. « Cette réflexion était stupide de ma part. S'il vous a traitée de cette façon, c'est qu'il ne vous mérite pas. À qui d'autre avez-vous parlé au magasin ?

— Je crois… je crois que c'était la femme de M. Conklin. Elle n'a pas été très aimable. »

Betty caressa les cheveux de Fleur.

« C'est une horrible bonne femme ! On ne fait pas plus détestable.

— Je voudrais seulement rentrer à la maison, dit Fleur en pleurant.

— Vous êtes sûre que vous ne voulez pas passer la nuit ici ? Vous pouvez dîner avec nous. Et vous repartiriez reposée demain matin.

— Je ne sais pas, répondit Fleur, indécise. Je crois qu'il vaut mieux que je parte le plus vite possible. » Elle leva les yeux vers Betty. « Duncan a suivi un cours de stratégie financière avec deux types qui sont venus à Branscombe le mois dernier. Il m'a dit qu'ils lui avaient conseillé de cesser de jouer à la loterie, et il a reconnu qu'ils avaient raison. Pourtant, il ne les a pas écoutés. J'aurais préféré qu'il le fasse.

— Sûrement pas ! s'écria Betty. Il a montré son vrai visage. Si vous voulez mon avis, vous avez échappé au pire, mon petit. Même avec tout l'argent du monde, il ne vaut pas grand-chose.

— Je suppose que ces deux conseillers financiers vont lui être très utiles à présent. Ils pourront lui dire quoi faire de tous ses gains. » Fleur semblait désemparée. « Avez-vous entendu parler d'eux ? Je crois qu'ils sont cousins.

— Jamais, répondit vivement Betty. Et si je les connaissais, ils ne m'intéresseraient pas. L'argent conduit beaucoup de gens à leur perte. Il ne fait pas le bonheur, comme on dit. Vous allez retourner en

Californie et trouver quelqu'un de très bien, j'en suis persuadée. Jed et moi viendrons à votre mariage.

— Vous êtes la personne la plus gentille que j'aie jamais rencontrée », dit Fleur avec un petit sourire.

Une série de coups violents à la porte de derrière les firent sursauter. « Je me demande qui c'est », murmura Betty en s'écartant de Fleur. D'un pas étonnamment alerte, elle se dépêcha d'aller répondre. Elle étouffa un cri en voyant qui se trouvait sur le perron. « Ce n'est pas le moment de vous pointer ici. » Son ton était sans réplique. Sa main posée sur la poignée, elle entreprit de fermer la porte.

De sa chaise, Fleur ne pouvait pas voir qui était le visiteur indésirable.

« Qu'est-ce que tu racontes, Betty ? » demanda avec irritation une voix masculine. « Nous avons un gros problème, il faut qu'on se cache ici. Les flics risquent de débarquer chez nous d'un moment à l'autre.

— Toujours aussi blagueur, hein ? » dit Betty nerveusement en cherchant de toutes ses forces à refermer la porte.

Fleur sursauta.

« Écoute, Betty, nous étions là quand Jed et toi avez eu besoin de disparaître », disait sèchement la voix d'un autre homme. Il parlait à voix basse mais semblait furieux : « Où est-il maintenant, hein ? Dans l'atelier, en train de dupliquer les clés des maisons de vos clients ? »

Une seconde plus tard, Betty trébucha en arrière sous la poussée de la porte et deux hommes se ruèrent dans la pièce. Il faut que je sorte d'ici, pensa Fleur au moment où les deux intrus s'apercevaient de sa présence et la regardaient, l'air stupéfait. Betty tourna la tête dans la direction de Fleur. Son visage aimable avait soudain pris une expression terrifiante. La jeune fille se détourna et chercha à s'enfuir de la cuisine. Elle n'avait pas atteint la porte qu'un bras puissant la saisissait par la taille tandis qu'une main brutale couvrait sa bouche. Elle pivota sur elle-même.

« Et que fait-on maintenant ? » demanda Betty à Woodrow et à Edmund d'un ton furibond, sa main appliquée sur la bouche de Fleur.

16

Les Reilly regardèrent Duncan qu'on emmenait sur un chariot. Les gagnants de la loterie les avaient rejoints dans le couloir.

« Bonne chance, Duncan », dit Marion en lui effleurant la main. « Il faut que tu sois sur pied lundi pour venir avec nous remettre notre billet au bureau central de la loterie. Charley nous conduira – ce sera un jour très spécial.

— Merci, Marion », répondit faiblement Duncan.

Tommy et Ralph lui tapèrent doucement sur l'épaule sans rien dire.

Ils ne lui font toujours pas confiance, pensa Glenda. J'imagine la scène s'ils savaient que j'ai l'autre billet dans ma poche. Quand je pense que j'ai les deux sur moi en ce moment même.

Le directeur de l'hôtel s'approcha de leur groupe. « Nous allons dresser une table dans l'une de nos salles à manger privées. Nous serions heureux de vous avoir à déjeuner – détendez-vous et profitez de la compagnie de vos amis.

— Très volontiers, dit Marion. En temps normal nous serions en train de faire la pause déjeuner au magasin ! » Elle se tourna vers Nora. « Vous êtes des nôtres, n'est-ce pas ?

— Avec plaisir », répondit Nora en lui emboîtant le pas.

Glenda effleura le bras de Regan au moment où tout le monde s'engageait dans le couloir. « Il faudrait que je vous parle un moment. C'est très important. »

Regan hocha discrètement la tête et s'arrêta. Jack les précédait avec Steve et Luke. Muffy avait voulu accompagner la civière jusqu'à l'ambulance, suivie de l'équipe de télévision. « Bien sûr. Que se passe-t-il ? »

Glenda regarda autour d'elle pour s'assurer que personne ne pouvait l'entendre. « Duncan a des ennuis... »

Regan l'écouta lui raconter toute l'histoire.

« ... Et Duncan a pris un gros risque en s'emparant de leur billet. Mais il l'a fait parce qu'il voulait les voir punis d'avoir dupé autant de malheureux. Il faut que ces deux escrocs se retrouvent sous les verrous le plus tôt possible.

— Nous devons avoir des preuves concrètes de leurs agissements pour les faire coffrer, expliqua Regan. Savez-vous s'ils ont remis des documents à Duncan au moment où il a fait ce placement ?

— Je n'en sais rien. Mais je lui ai dit que j'irais chez lui récupérer son téléphone portable. Ce matin, j'ai remarqué que les notes qu'il avait prises pendant les cours de stratégie financière se trouvaient sur la table de la salle à manger.

— C'est un début. Je vais prévenir Jack, nous irons avec vous chez Duncan.

— Merci Regan. Mais quelle excuse allons-nous donner pour partir si tôt ? Nous étions censés rester pour le déjeuner.

— Vous direz que vous devez apporter à Duncan son téléphone portable. Qu'il n'a pas pu parler à sa fiancée, et qu'il est inquiet. Il sera peut-être obligé de rester à l'hôpital jusqu'à la fin de la journée et il vous a demandé d'aller chercher sa bague avant la fermeture de la bijouterie. » Elle s'interrompit. « Je n'aime pas vous poser cette question, Glenda, mais saviez-vous que votre ex était dehors en train de tenir un discours à la presse ?

— Cela ne m'étonne pas », dit Glenda, stoïque.

Regan sourit. « En vérité, cela tombe à pic pour nous. Il avait l'air fou de rage. Une excellente raison pour que nous vous accompagnions, Jack et moi. Pas question de vous laisser seule. »

Glenda sourit. « Fomidable ! Si Harvey savait qu'il me fait une faveur en rapportant n'importe quoi aux journalistes, il en serait malade. »

Elles entrèrent dans la salle à manger où les autres étaient sur le point de passer à table. Regan s'entretint discrètement avec Jack pendant que Glenda parlait avec ses amis. Les parents de Tommy les avaient rejoints ainsi que Judy, la femme de Ralph.

« Je regrette que tu sois obligée de partir ! dit Marion. Mais je comprends que c'est à cause de ce pauvre Duncan. Glenda, si nous allions tous à la banque déposer notre billet dans un coffre pendant le week-end ?

— Allez-y, vous autres, déposez-le dès cet après-midi. Je vous fais confiance, dit Glenda en lançant un regard entendu à Ralph et à Tommy.

— Tu en es bien sûre ? plaisanta Ralph. Dis-nous, Glenda. Qu'est-il arrivé à Duncan hier soir ? Comment s'est-il blessé ?

— Il est tombé, répondit Glenda. Comme vous pouvez l'imaginer, il a été plutôt secoué en découvrant les numéros gagnants alors qu'il n'avait pas joué. Sa voiture ne voulait pas démarrer, il est parti à pied faire un tour et il a glissé. Il n'a pas pensé une seule seconde que nous serions assez généreux pour partager l'argent avec lui. Je suis sûre que vous connaissez l'histoire de ce pauvre garçon qui jouait toujours à la loterie avec ses collègues de bureau. Un jour où il était malade il n'a pas pu miser avec eux. Ils ont gagné et refusé de partager avec lui.

— C'est minable ! » s'exclama Marion, puis elle demanda : « Alors, où allait Duncan ? Sa petite amie habite en ville ?

— Non, elle vit en Californie.

— J'ai hâte de la connaître, dit Marion. Elle habite peut-être près de chez mon petit-fils. Comment s'appelle-t-elle ?

— Fleur.

— Comment ? demanda Marion en fronçant les sourcils.

— Fleur.

— Drôle de nom, chuchota Luke à Nora.

— Je vois, fit Marion. J'espère que la bague lui plaira.

— J'en suis certaine, assura Glenda. Regan et Jack Reilly m'ont aimablement proposé de m'accompagner. Ils ont vu Harvey dehors, qui gesticulait d'un air furieux. » Elle fit mine de plaisanter. « Marion, tu as dit que nous aurions peut-être besoin d'un garde du corps. Eh bien, j'en ai deux. »

Deux serveurs apparurent dans la pièce pour prendre les commandes.

Marion se résigna.

« Vas-y, mais n'oublie pas de nous laisser le billet. »

Lequel ? se demanda Glenda ironiquement. Toute l'assistance la regarda fouiller dans son portefeuille pour le remettre à Ralph. Elle sentait presque le billet de Duncan dans sa poche droite. Elle allait avoir une crise cardiaque si ça continuait.

Regan devina que les antennes de sa mère étaient en alerte. Elle se doute qu'il se passe quelque chose, songea-t-elle. Elle est morte de curiosité. Mais il va falloir qu'elle attende avant de découvrir de quoi il s'agit.

« Regan ! Jack ! Vous êtes là ! » La voix d'Alvirah s'éleva dans le hall d'entrée. Willy et elle étaient en train de s'inscrire à la réception de l'hôtel.

« Hello, Alvirah, lança Regan avec un geste de la main.

— Est-ce Alvirah Meehan ? murmura Glenda à Regan.

— Oui. J'ai bien vu que ma chère mère se demandait pourquoi nous nous apprêtions à quitter les lieux avant le déjeuner. À présent, partir sans qu'Alvirah se rende compte qu'il y a anguille sous roche ne va pas être une mince affaire. Elle voudra absolument venir avec nous. »

Glenda réfléchit. « J'ai lu le récit de plusieurs affaires qu'elle avait résolues. Et elle a toujours cherché à protéger les gagnants à la loterie des pièges qu'on pouvait leur tendre. Je lui fais confiance, et je suis certaine que Duncan en ferait autant. Si elle veut nous accompagner, je n'y vois pas d'inconvénient.

— Croyez-moi, dit Regan, je connais Alvirah. Elle ne dira pas non. »

17

Sam Conklin entra précipitamment dans son petit bureau à l'arrière du magasin et claqua la porte derrière lui. À ce moment précis, le téléphone sonna. C'était Richard, son fils unique, qu'il avait espéré voir entrer dans l'affaire familiale. Au lieu de quoi, Richard n'avait pas résisté à l'attrait des planches et des acclamations de la foule et, à quarante-deux ans, c'était un acteur confirmé. Il avait joué une pièce à Boston pendant six mois et se préparait à rentrer chez lui à New York.

« Papa, que se passe-t-il ? Les médias ne parlent plus que des employés de Conklin's Market qui ont gagné à la loterie. Qui a pu raconter que tu leur avais sucré leur prime ? C'est sûrement faux. Tu as toujours donné des primes de fin d'année à ton personnel, très généreuses de surcroît. »

Sam se laissa tomber dans son fauteuil et appuya sa tête sur sa main. « Ils disent vrai », avoua-t-il piteusement. « C'est Rhoda qui m'en a persuadé.

— Ça ne m'étonne pas, si tu veux savoir », décréta calmement Richard. « Je ne supporte pas cette femme.

— Moi non plus, déclara Sam.

— Ravi de te l'entendre dire ! » s'exclama Richard d'un ton soudain joyeux. « Elle n'a été qu'une source de conflits dès le premier jour. Souviens-toi de la gentillesse de maman...

— Je sais, je sais, l'interrompit Sam. Ce matin a été une catastrophe pour l'image de la maison. J'ai travaillé dur pendant plus de quarante ans et, comme tu l'as dit, j'ai toujours été généreux envers mes employés. Quand je pense qu'elle m'a persuadé de leur offrir des photos de ce maudit mariage au lieu des primes qu'ils avaient amplement méritées. Si tu avais vu leur expression hier soir ! Je ne l'oublierai jamais de toute ma vie. J'ai honte...

— Papa, calme-toi.

— Tout le monde me demande de m'expliquer, Richard. Tout le monde me traite de grippe-sou. J'ai honte de me montrer dans le magasin aujourd'hui. Mes plus vieux clients me regardent avec mépris. Et, une fois mes meilleurs employés partis, l'affaire va tourner au désastre. Et nous sommes les fournisseurs du Festival....

— Je n'ai pas besoin d'être à New York avant lundi. Je vais sauter dans ma voiture et venir te donner un coup de main. J'ai assez travaillé dans ce magasin pour savoir ce qu'il faut faire.

— Richard, je ne peux pas accepter. Tu viens de finir ta pièce et tu as peu de congés.

— Ne t'en fais pas, papa. Je serai là dans une ou deux heures. »

L'émotion étouffa Sam. La perspective de voir un visage amical était tellement importante pour lui. « Merci fiston, dit-il. Tu ne peux pas savoir ce que cela représente pour moi. »

Réconforté, Sam raccrocha. Il allait boire un café avant de retourner affronter le peloton d'exécution. Il se dirigea vers la Thermos qu'il gardait en permanence dans son bureau et s'apprêtait à se servir quand la porte s'ouvrit violemment. Sam n'eut pas besoin de se retourner pour savoir de qui il s'agissait. Toute autre personne aurait frappé avant d'entrer. Toute autre hormis la femme qu'il avait épousée six mois auparavant. Il s'arma de courage.

« Je viens de virer le garçon qui s'occupait des fruits et légumes, déclara Rhoda. C'est un incompétent. »

Sam se tourna brusquement. « Tu l'as renvoyé ! Quand nous avons besoin de tous les bras disponibles, tu l'as renvoyé ! Je parie à dix contre un qu'il est en ce moment même en train de parler aux journalistes dehors.

— Il a été malpoli avec moi quand j'ai voulu lui montrer comment ranger les pommes. Et ensuite il a dit qu'il n'était pas étonnant que tout le monde m'appelle la Mouffette ! »

Sam cligna les paupières. « La Mouffette ?

— *La Mouffette*, exactement. Derrière mon dos, c'est comme ça qu'ils m'appellent tous. »

Ce n'est pas mal trouvé, pensa Sam en contemplant la mèche blanche qui séparait les cheveux noirs de Rhoda. Il était aussi amusé qu'embarrassé. Les gens d'ici la connaissent bien et doivent penser que je suis un idiot de l'avoir épousée. « Tu n'avais aucun droit de renvoyer ce garçon, dit-il sèchement. Il se donne du mal et c'est un gentil gosse. Je vais voir si je peux le rattraper.

— Et t'opposer à mes décisions ? » se récria Rhoda, stupéfaite. « Après tout ce que je fais pour que ce magasin continue de marcher ? »

Sam pointa un doigt vers elle. « Je vais te dire une chose : je n'aurais pas eu le moindre besoin de ton aide si tu ne m'avais pas harcelé pour que j'offre ces photos absurdes à mes cinq meilleurs employés. Nous étions comme une famille jusqu'à ton arrivée. Millionnaires ou pas, ils seraient venus dès la première heure ce matin pour nous aider à préparer le Festival et nous aurions cassé la baraque !

— Comment *oses*-tu ? demanda Rhoda, les yeux étincelants.

— Comment *oses*-tu toi-même ?

— Je vais faire mes valises et retourner à Boston pour le week-end. Grâce à Dieu, mon appartement n'est pas encore vendu. » Elle passa devant lui en trombe, traversa le magasin d'un pas rageur. « Amuse-toi bien au Festival ! » cria-t-elle par-dessus son épaule.

« Je n'y manquerai pas maintenant ! » lança-t-il derrière elle, tandis que les clients s'arrêtaient de pousser leurs caddies pour écouter leur échange. « Et fais quelque chose pour moi », ajouta-t-il, incapable de se contenir, « retire de la vente ton appartement ultra-chic ! »

Des applaudissements accueillirent cette dernière phrase.

18

« C'est donc là qu'il a passé toute la nuit ! Couché par terre au sous-sol, à écouter ces escrocs se moquer de lui et de tous ceux qu'ils avaient arnaqués ! » s'exclama Alvirah dans la voiture qui l'amenait avec Glenda, Regan et Jack à la maison de Duncan.

« Oui, dit Glenda.

— Je suis contente qu'il ait pu mettre la main sur leur billet. Vous dites qu'il vous l'a confié à l'hôtel ?

— Oui. Il ne voyait pas d'autre solution. Je suppose qu'il est encore sous le choc.

— Sans doute, dit Alvirah. Puis-je le voir ?

— Bien sûr. La pensée d'avoir ce billet sur moi me terrifie. Je passe mon temps à palper ma poche pour m'assurer qu'il est toujours là », dit Glenda en le sortant avec précaution. « Le voici. »

Alvirah prit le billet, l'examina, secoua la tête et se pencha en avant. « Jetez donc un coup d'œil, Regan. Je doute que vous ayez en main une seconde fois dans votre vie un objet de cette valeur. »

Jack avait écouté avec intérêt. « Vous savez, Glenda, dit-il, Duncan ne veut peut-être pas que ces filous touchent cet argent. Mais nous allons devoir remettre ce billet à la police. Je peux vous assurer que si ces types sont des escrocs, ils ne verront pas l'ombre d'un dollar avant que toutes leurs victimes aient été dédommagées.

— Duncan serait atterré s'ils parvenaient à encaisser leurs gains avec ce billet, mais il veut surtout les voir sous les verrous. » Glenda resta songeuse un instant. « Duncan risque-t-il d'être inquiété pour avoir dérobé ce billet ? demanda-t-elle. Est-ce que son geste peut être considéré comme un vol ?

— Ce serait le cadet de mes soucis à sa place. Je doute que ces deux oiseaux soient en position de porter plainte contre lui. »

À mesure qu'ils s'éloignaient du centre-ville, le paysage devenait rural. Les maisons semblaient de plus en plus éloignées les unes des autres, et toutes étaient ornées de décorations de Noël. Une ferme arborait sur son toit un vrai traîneau avec un Père Noël grandeur nature.

« Nous approchons, dit Glenda. C'est la prochaine à droite. Il y a une légère courbe, et la maison de Duncan est la dernière au bout de la rue. »

Un instant plus tard elle s'exclamait : « Oh, mon Dieu, il y a une voiture stationnée devant chez lui ! »

Au moment où ils s'engageaient dans l'allée, une camionnette ornée du logo BUZ démarra et les croisa.

« Les journalistes veulent montrer à quoi ressemblait la vie des gens riches et célèbres "avant", fit remarquer Alvirah.

— Ils ne seront pas déçus quand ils verront *ma* maison », dit Glenda tandis que Jack se garait dans l'allée de Duncan. « Je vais retirer la clé de contact de sa voiture. Je l'y avais remise ce matin. Je ne savais pas quoi en faire. »

En pénétrant dans la maison, ils entendirent le téléphone sonner. « Je peux sans doute répondre », dit Glenda, et elle courut décrocher l'appareil. « Allô.

— Allô, dit une voix de femme, M. Duncan Graham est-il là ?

— Non, il est absent. Désirez-vous lui laisser un message ?

— Oui, absolument. Nous recueillons des fonds pour l'association "Le Peuple à la barre". Nous aimerions prendre rendez-vous avec lui pour qu'il contribue... »

Glenda raccrocha. « Un cinglé qui veut soutirer de l'argent à Duncan avant même qu'il l'ait touché, dit-elle.

— Attendez-vous à tout désormais, l'avertit Alvirah. Vous allez avoir affaire à toutes sortes de casse-pieds, ils poussent comme des champignons. Peut-être viennent-ils de Mars. »

Glenda désigna des papiers empilés sur la petite table de la salle à manger : « Ce sont les notes prises pendant les cours de stratégie financière dont je vous ai parlé, Regan.

— Voyons si elles contiennent des informations concernant l'investissement dans le pétrole. »

Ils se partagèrent les feuillets et les compulsèrent.

« Ce sont de vrais génies », dit Alvirah qui tenait une feuille à la main. « "Éteignez la lumière en sortant d'une pièce. Décidez ce que vous voulez avant d'ouvrir la porte du réfrigérateur. La garder ouverte coûte de l'argent." » Elle reposa le papier. « Ne me dites pas que Duncan a payé pour ce genre de conseils ?

— Je ne sais jamais ce que j'ai envie de manger avant d'avoir regardé ce qui me tente dans le réfrigérateur, dit Jack.

— Je crois qu'il n'y a rien dans ma pile concernant un puits de pétrole, dit Alvirah. À moins que ce soit écrit à l'encre sympathique.

— Il n'y a rien là-dedans non plus, confirma Regan. Mais ils ont dû lui donner une sorte de reçu, non ?

— À moins de trouver une preuve d'escroquerie, nous sommes désarmés, dit Jack. Quand nous serons à l'hôpital, nous demanderons à parler immédiatement à Duncan. Nous perdons notre temps.

— Je pense que Duncan ne verrait pas d'inconvénient à ce que je jette un rapide coup d'œil dans la maison, dit Glenda. Il m'a demandé de l'aider dans cette affaire.

— Vous allez croire que je plaisante, mais regardez sous son matelas, suggéra Alvirah.

— Vous êtes sérieuse ? demanda Glenda.

— Tout à fait. Je faisais le ménage autrefois dans cinq maisons différentes toutes les semaines. Dans deux d'entre elles, les gens gardaient leurs papiers importants et leur argent sous le matelas. Dans une autre, la propriétaire pensait que c'était le meilleur endroit pour cacher son journal intime. Je suis fière de pouvoir dire que je n'en ai jamais lu une ligne. Ce n'est pourtant pas l'envie qui m'en manquait », ajouta-t-elle après une pause. « Cette dame était... particulière. »

Glenda se dirigea vers la chambre. Un moment plus tard, elle appelait d'une voix triomphante : « Alvirah ! C'est incroyable ! Vous aviez raison ! » Elle revint à la hâte dans la salle de séjour, en ouvrant une grande enveloppe marquée d'un logo représentant un puits de pétrole en pleine activité qu'elle tendit à Jack.

« Ça alors ! murmura Jack. Ces types sont sans vergogne. Voyons ce qu'il y a à l'intérieur. » Il sortit un document de l'enveloppe, le tenant avec précaution par le bord. « Peut-être y trouvera-t-on des empreintes digitales », expliqua-t-il tandis que les autres lisaient en même temps que lui.

Alvirah soupira :

« Ils ont essayé de donner à ce papier un air officiel, mais je peux vous dire dès maintenant que ce cachet est une plaisanterie. Certaines des personnes de mon association de soutien qui ont été victimes d'escroquerie possédaient des documents en tout point similaires.

— Je vais demander à mon service de rechercher des informations sur cette société, dit Jack. Dès qu'on aura vérifié qu'elle n'a pas d'existence légale, je contacterai le bureau du district attorney. Ils lanceront les mandats d'arrêt pour coffrer ces escrocs.

— Pauvre Duncan, soupira Glenda, il a travaillé dur pour gagner chacun des sous qu'il a donnés à ces salauds, et tout ça pour ce certificat de pacotille. C'est navrant.

— Douze millions de dollars lui remonteront le moral, Glenda », dit Jack avec un sourire moqueur en sortant son téléphone portable.

Regan se tourna vers Glenda. « Duncan ne devrait pas dormir ici ce soir. La serrure de la porte d'entrée ne vaut pas un clou. À propos, vous non plus vous ne devriez pas rester seule à la maison.

— Avec Harvey en ville, je n'en ai pas très envie », dit Glenda d'un ton convaincu. « Je vais préparer une valise pour Duncan. Nous ferions mieux de nous installer tous les deux à l'auberge avec vous.

— Excellente idée. Maintenant, où croyez-vous que nous devions chercher son téléphone portable ?

— Il se trouve probablement quelque part près de son fauteuil.

— Je m'en charge. » Alvirah se dirigea vers le fauteuil. « Rien sur le coussin, rien sur l'accoudoir... Le voilà, il avait glissé sur le côté… » Elle avait à peine récupéré le téléphone qu'il se mit à sonner. Elle regarda le nom qui s'affichait. « "Papa et maman". C'est charmant, non ?

— Passez-le-moi, dit Glenda. Duncan a laissé un message à ses parents pendant qu'il attendait l'ambulance. » Elle porta le téléphone à son oreille. « Allô, ici Glenda, je suis une amie de Duncan. » Elle attendit. « Il va bien, madame Graham, ne vous tourmentez pas. Oui, il a en effet gagné douze millions de dollars… vous avez dormi tard ?… euh… je ne crois pas que vous ayez besoin de louer un avion pour être avec lui… Il est à l'hôpital où l'on s'occupe de sa jambe… Je vais lui apporter son téléphone, et lui dire de vous rappeler. Au revoir. »

Elle glissa le téléphone dans son sac. « Les parents de Duncan sont du genre oiseaux de nuit. Ils viennent à peine de se réveiller. Tout ce qu'ils savent de cette histoire provient du message que Duncan leur a laissé.

— Ils doivent avoir bonne conscience, dit Alvirah.

— C'est certain, dit Regan. Mais ils ont échappé à beaucoup d'inquiétudes. Ce doit être horrible d'apprendre que votre fils ou votre fille a disparu. Allons porter son téléphone à Duncan sans plus tarder. Ses parents se sentiront mieux quand ils lui auront parlé en personne. »

Pendant que Glenda préparait la valise de Duncan, elle remarqua sur le buffet la photo encadrée d'une jeune femme aux cheveux châtains qui retombaient en vagues sur ses épaules. C'est sans doute Fleur, pensa-t-elle. S'il doit habiter à l'auberge, je suis certaine qu'il sera heureux d'avoir sa photo avec lui. Elle la mit dans le sac.

Un quart d'heure plus tard, ils s'engageaient dans Main Street bondée en direction de l'hôpital.

« Le Festival ne commence que dans quelques heures, dit Glenda. Que se passe-t-il plus loin dans la rue ? Oh, non ! »

Un journaliste, suivi d'un cameraman, s'adressait à une foule rassemblée devant la vitrine du bijoutier Pettie. « Ils doivent être en train de s'extasier devant la bague de Duncan. Arrêtons-nous une minute », dit Glenda vivement. « Regan, c'était une bonne idée de dire à nos amis que j'irais chercher cette bague. C'est justement ce que je vais faire. Jack, il y a une place de stationnement libre un peu plus loin. Pouvez-vous vous y garer ?

— Bien sûr.

— Vous croyez que le bijoutier vous laissera emporter la bague ? demanda Regan. Il en retire un maximum de publicité, et c'est exactement ce qu'il recherche.

— Il ferait bien de me la donner.

— Nous vous accompagnons, proposa Jack. Nous nous assurerons que tout se passe bien. »

Il gara la voiture et ils descendirent.

En passant près du journaliste, ils l'entendirent s'adresser aux badauds : « Vous ne croyez pas que Duncan Graham devrait offrir une plus belle bague à sa fiancée à présent ? »

Glenda lui lança un regard noir avant de pénétrer dans la bijouterie avec Jack et Regan. Alvirah s'attarda derrière eux pour jeter un coup d'œil à la vitrine, puis s'immobilisa brusquement. Elle joua des coudes, et se faufila à travers la foule pour voir de plus près. Ses yeux s'arrondirent à la vue de la bague avec son diamant serti de pierres semi-précieuses en forme de pétales. Elle déboutonna le haut de son manteau, tâtonna à l'intérieur, et mit en marche le micro caché de la broche soleil qu'elle avait agrafée à son revers ce matin. Chaque fois qu'elle était sur une affaire et interviewait un témoin, elle enregistrait la conversation afin de comparer ses souvenirs avec les conversations enregistrées.

Au moment où elle entrait dans le magasin, le bijoutier s'apprêtait à prendre la bague dans la vitrine, une expression bougonne sur le visage. Sa mauvaise humeur s'accrut en entendant les protestations de la foule.

« Même s'il n'est pas ravi, il a accepté de nous donner la bague, dit Regan à Alvirah.

— Le plus important est de savoir d'où il la tient, murmura Alvirah. À moins que j'aie perdu l'esprit, ce qui n'est pas le cas, cette bague a disparu après que Kitty Whelan, la meilleure amie de Mme O'Keefe, chez qui je faisais autrefois le ménage le vendredi, a été trouvée raide morte sur le sol de sa maison. »

19

« Betty, qu'est-ce que tu fabriques ! » s'écria Edmund d'un ton affolé. « Tu as perdu la tête ?

— Pas assez pour ne pas me rendre compte que, grâce à vous, je suis démasquée », répondit-elle, furieuse, tandis que Fleur se débattait en vain entre ses bras puissants. Elle baissa les yeux sur elle. « Fleur, je vous présente les conseillers financiers de votre petit ami. De vrais génies.

— Qu'est-ce que tu racontes ? demanda Woodrow.

— Son petit ami a gagné à la loterie hier soir.

— Qui est son petit ami ?

— Duncan.

— Duncan ! s'exclamèrent les deux hommes d'une même voix.

— Oui. Heureusement pour lui qu'il n'a pas suivi vos conseils.

— Si, il les a suivis, rectifia Edmund. Il n'a pas joué, mais ses copains vont partager le fric avec lui.

— C'est nous qui n'avons pas suivi nos propres conseils, dit Woodrow. Nous avons acheté l'autre billet gagnant, mais nous pensons que Duncan nous l'a volé.

— Quoi ? Et comment vous êtes-vous débrouillés pour arriver à ce brillant résultat ? » interrogea Betty, ironique.

Penaud, bafouillant, Edmund commença à expliquer : « Quelqu'un est entré chez nous la nuit dernière. Nous avons entendu un bruit, comme si quelque chose tombait dans l'escalier du sous-sol, et comme des idiots nous ne sommes pas allés vérifier. Mais l'individu qui se trouvait là nous a entendus parler et a su que nous avions caché le billet dans le congélateur. Nous sommes pratiquement sûrs que c'était Duncan.

— Pourquoi ?

— On a entendu à la radio qu'il était resté introuvable pendant toute la nuit, puis qu'il a réapparu, il y a une heure, boitant comme s'il avait fait une chute. » Edmund s'interrompit avant d'ajouter : « Et nous avons utilisé les numéros qu'il nous avait dit vouloir jouer. »

Bien que terrifiée, Fleur sentit une vague de pure félicité l'envahir. Duncan ne l'avait pas abandonnée ! Comment ai-je pu cesser d'avoir confiance dans mon Duncan ? se demanda-t-elle.

« Les choses sont simples, dit Woodrow. Duncan nous rend notre billet et nous lui rendons sa petite amie.

— Il l'a larguée, siffla Betty. Il ne l'a pas appelée depuis qu'il a gagné. Il ne sera peut-être pas disposé... »

Fleur, sa confiance en Duncan retrouvée, tenta de mordre la main de Betty.

« Toi, la gamine, tiens-toi tranquille, dit Betty, ou je te transforme en purée. » Elle regarda les deux cousins. « Si vous récupérez ce billet, il faudra partager en quatre avec moi et Jed.

— C'est un peu excessif, Betty, gémit Edmund.

— Excessif ? Jed et moi ne pouvons plus habiter ici et nous ne pouvons pas davantage rester toute la journée avec cette fille sur les bras, dit-elle impatiemment. Le Refuge est complet. Les autres vont revenir à l'heure du thé.

— Je n'en doute pas, dit Woodrow d'un ton narquois. Tes scones sont délicieux. »

Betty le fusilla du regard. « Prends un de ces torchons. Il y a de la grosse ficelle dans le tiroir près de la cuisinière. »

Fleur s'inquiéta. Que vont-ils me faire ? En particulier cette femme. Elle a l'air démoniaque. Elle sentit la main de Betty s'écarter de sa bouche, mais elle n'eut pas le temps de crier. Woodrow lui appliquait un torchon plié sur le bas du visage et le nouait solidement pendant qu'Edmund lui liait les chevilles. Betty lui tira brutalement les bras en arrière et les maintint dans son dos pendant qu'Edmund les attachait.

« Amenons-la dans la remise, ordonna Betty. Woodrow, prends la nappe dans le buffet près de la cheminée. On va la couvrir avec. »

Woodrow obéit. « Je la porte, proposa-t-il.

— Non, tu as déjà fait trop de dégâts en te pointant ici aujourd'hui. Tu serais capable de la faire tomber sur la tête. »

Elle balança Fleur par-dessus son épaule d'un mouvement leste et attendit impatiemment que Woodrow ait fini d'envelopper tant bien que mal leur captive. « Jed va avoir une attaque quand il verra ça, grommela-t-elle. Allons-y. »

Réduite à l'impuissance, Fleur dut réprimer son envie de la bourrer de coups de pied. Elle sentit un souffle d'air froid quand Betty l'emporta hors de la maison.

Edmund courut en avant pour ouvrir la porte. Une fois à l'intérieur de la remise, Betty laissa tomber Fleur sur un vieux transat et déplia la nappe. Ses yeux s'habituant à la lumière, Fleur prit conscience du décor lugubre qui l'entourait. Un établi encombré de vieux pots de peinture ; des pelles et des râteaux suspendus le long des murs ; une souffleuse à neige avec un pneu à plat. Elle sursauta en voyant un panneau dans le mur du fond coulisser, livrant passage à Jed, l'aimable propriétaire qui avait porté ses valises. Derrière lui, elle distinguait un grand écran d'ordinateur et un espace de travail impeccablement rangé, rempli de matériel dernier cri.

« J'étais sûr que les ennuis allaient arriver quand vous vous pointeriez en ville ! aboya Jed, furieux.

— C'est à cause de la grossièreté de ta femme », se récria Edmund, la voix tremblante. « Si elle avait été polie et nous avait laissés…

— Pousse-toi, Jed, ordonna Betty. Il faut la cacher dans ton bureau.

— Quoi ? protesta Jed. Il est hors de question qu'elle voie ce qui se passe ici.

— Aucune importance maintenant, dit Betty. On va être en cavale aussi longtemps que cette petite Fleur continuera à fleurir. »

20

« Vous vous êtes cassé le tibia à la hauteur de la cheville. » Le Dr Rusch, un homme grisonnant portant des lunettes sans monture, étudiait la radio à contre-jour. « Comment vous êtes-vous fait ça ?

— Je suis tombé dans un escalier, répondit Duncan.

— Vous avez de la chance de n'avoir pas aggravé les dégâts en vous appuyant sur cette jambe. » Il lui tapota le bras. « Vous porterez un plâtre pendant six semaines environ. » Il sourit. « Mais je pense que vous n'avez pas besoin d'un arrêt de travail.

— Non, en effet, soupira Duncan.

— Est-ce que vous souffrez beaucoup en ce moment ?

— Plutôt, avoua Duncan.

— Je vais vous donner un calmant. Vous vous sentirez peut-être un peu somnolent.

— Docteur, je n'ai pas mon téléphone portable avec moi. Excusez-moi de vous demander ce service, mais pourriez-vous me prêter le vôtre ? Il faut absolument que je parle à mon amie. Juste une minute. »

C'est une première, pensa Rusch, amusé. Aucun patient ne m'a encore demandé d'emprunter mon téléphone. À l'évidence, l'argent ne change pas votre façon de vous comporter. « Je crains que l'usage du téléphone ne soit pas autorisé ici, Duncan. Mais donnez-moi le numéro de votre amie et je vais demander à la réceptionniste de l'appeler et de lui transmettre votre message. Que voulez-vous lui dire ?

— Merci », dit Duncan, s'efforçant de cacher sa déception. « Juste que je la rappellerai. »

Dix minutes plus tard, le médecin réapparut dans le service des urgences où se trouvait Duncan. « Ce doit être une jeune fille très demandée. Sa boîte vocale est pleine. »

Ce n'est pas normal, se dit Duncan. Je *sais* qu'il y a quelque chose d'anormal.

Une infirmière s'approcha de lui avec un cachet et un verre d'eau. « Vous vous sentirez mieux ensuite. Il va falloir attendre un petit moment pour le plâtre. Nous avons deux skieurs avant vous. Pourquoi ne pas essayer de dormir un peu ? »

Duncan avala le cachet, se renversa en arrière et ferma les yeux. Un méchant pressentiment l'empêcha de se détendre et de sombrer dans le sommeil. La voix de Fleur résonnait dans sa tête. « J'ai peur, Duncan, murmurait-elle. Viens à mon secours, j'ai peur. »

21

Horace Pettie plaça la bague dans son écrin de velours sur le comptoir. « Je l'ai conservée pour Duncan pendant six mois contre un dépôt de cinquante dollars », fit-il remarquer d'un ton aigre. « Je connais peu de bijoutiers qui en auraient fait autant. L'exposer durant ces quelques heures m'a uniquement aidé à vendre mes breloques du Festival. Et vous dites que Duncan me reproche d'avoir mis sa bague en vitrine ? Tant pis pour lui.

— C'est vrai », renchérit Luella en nouant un ruban rouge autour d'un emballage-cadeau à l'intention de l'unique cliente présente dans le magasin. « Je travaille pour M. Pettie depuis vingt ans. Il a toujours été l'image même de la générosité pour les gens d'ici. Cela démontre seulement qu'une bonne action n'est pas toujours récompensée. Pas vrai, madame Graney ? »

L'alerte septuagénaire fit un signe d'assentiment. « Humm hummm. Il me semble que ce Duncan Graham n'a plus à se soucier de grand-chose, maintenant qu'il est en possession de douze millions de dollars. Joyeux Noël tout le monde », conclut-elle gaiement en quittant le magasin.

Alvirah regarda la porte se refermer derrière elle. « Nous pouvons parler à présent. Excusez-moi, monsieur, mais j'ai besoin de savoir d'où vous tenez cette bague. »

Horace Pettie eut l'air stupéfait. « Pourquoi me posez-vous cette question ?

— Parce qu'elle a probablement été volée », dit Alvirah en vérifiant que le microphone de sa broche soleil était bien branché.

La bouche de Pettie se crispa. « Si vous insinuez que j'ai obtenu cette bague de manière illicite, vous vous trompez lourdement, et je vous demanderais de quitter ma boutique sur-le-champ.

— Je ne vous accuse de rien du tout, et mon intention n'est nullement de vous inquiéter, répliqua en hâte Alvirah. Mais je peux vous dire que cette bague a disparu de la maison d'une femme qui est décédée dans des circonstances étranges il y a huit ans à New York. J'en ai la certitude.

— Quoi ? » s'exclama Glenda, stupéfaite.

Jack désigna l'écrin. « Il s'agit bien de la même bague, Alvirah ? »

Alvirah hocha la tête. « C'est celle-ci. J'en suis sûre. »

Luella frappa le comptoir de la main, faisant tinter les bracelets qu'elle portait à son poignet. « Comment pouvez-vous être certaine que c'est la même bague ?

— La femme qui en était propriétaire, Kitty Whelan, aimait beaucoup jardiner. Son mari l'avait commandée chez un bijoutier pour leur cinquantième anniversaire, avec un diamant au centre et des pétales en pierres précieuses de la couleur de ses fleurs favorites. Regardez – blanc pour les lis, rouge pour les roses et violet pour les pensées. Kitty avait une prédilection pour cette bague. Après la mort de son mari, elle ne l'a jamais quittée. Je faisais alors le ménage chez une dame du nom de Bridget O'Keefe qui était une de ses meilleures amies. Je n'y allais qu'un jour par semaine, mais avant d'avoir une crise cardiaque, Kitty avait l'habitude de lui rendre visite et j'ai maintes fois eu l'occasion d'admirer cette bague. Elle disait avec fierté qu'elle était unique en son genre, fabriquée spécialement pour elle. Pourtant, le jour où son neveu l'a trouvée morte au pied de son escalier, elle ne l'avait plus au doigt. Et il ne l'a retrouvée nulle part quand il a débarrassé la maison.

— Peut-être la rangeait-elle dans une cachette particulière quand elle ne la portait pas, suggéra Luella. Souvenez-vous du nombre de bijoux qui ont été découverts dans les endroits les plus inattendus. Après de très nombreuses années.

— Vous avez raison sur ce point, reconnut Alvirah. Cependant, l'histoire ne s'arrête pas là. Le neveu de Kitty a aussi découvert que le compte en banque de sa tante avait été vidé, vraisemblablement par une dame de compagnie qu'elle avait employée quelques mois avant sa mort. Ce qui laissa planer le doute sur la nature de sa chute dans l'escalier, qui n'était peut-être pas accidentelle. Mais la dame de compagnie s'était volatilisée et personne ne l'a plus jamais revue.

— Ces histoires me dégoûtent, soupira Luella. Une dame, dans la ville où habite ma sœur, a été dépouillée par une soi-disant – elle dessina un point d'interrogation dans l'air – aide-ménagère. Ladite aide faisait tous ses achats, y compris ceux de sa famille et de ses amis avec la carte de crédit de la vieille dame. Des milliers de dollars dépensés en nourriture alors que la pauvre femme pesait à peine quarante kilos. Que le comptable ne l'ait pas signalé dépasse mon entendement. Il a fallu la perspicacité d'une caissière qui savait qu'elle avait fait un séjour à l'hôpital et qu'elle était allergique aux fruits de mer pour que l'alerte soit donnée. Lorsque l'"aide-ménagère" a voulu utiliser la carte de sa patronne pour payer quinze homards et trois cartons de bière, la caissière a prévenu son supérieur. Eh bien, figurez-vous que c'était l'anniversaire du petit ami de cette femme. Elle organisait une fête pour lui et ses copains. » Luella se tut. « C'est une honte ! »

Je viens surtout de gaspiller un bon bout de ma bande magnétique avec cette histoire, grommela Alvirah en son for intérieur. « Vous comprenez donc l'intérêt que je porte à cette bague ? demanda-t-elle.

— Tout à fait », dit Pettie. Manifestement soulagé de ne pas être accusé d'avoir commis un délit, il se réjouissait de voir la bague de Duncan devenir soudain le centre d'une histoire rocambolesque. « Je comprends tout à fait. À ce propos, une mésaventure semblable est arrivée à un cousin de ma femme qui... » La porte s'ouvrit et de nouveaux clients entrèrent. Pettie s'interrompit aussitôt. « Mais je ne vais pas vous ennuyer avec ça maintenant, dit-il précipitamment. Cette bague a été trouvée dans la rue par un homme qui a toujours vécu à Branscombe. Il s'appelle Rufus Blackstone. Il me l'a laissée en dépôt, et je peux vous dire qu'il ne s'est pas montré aussi accommodant que je l'ai été avec Duncan. C'est un vieux dur à cuire excentrique. Je vais vous chercher son numéro de téléphone dans l'arrière-boutique. Glenda, vous préférez régler cette bague avec votre carte de crédit ?

— Je m'en charge, l'interrompit Alvirah. Il faudrait rendre la bague au neveu de Kitty. Et cette dernière, d'ailleurs, voulait que Mme O'Keefe en hérite si elle devait mourir la première. C'était sa volonté.

— Pauvre Duncan, soupira Glenda. Je suis certaine qu'il n'en voudrait plus à présent, pourtant il disait qu'elle serait parfaite pour sa fiancée qui s'appelle Fleur.

— S'il le désire, je peux lui en faire une copie avec de vraies pierres, proposa Pettie les yeux brillants. Elle serait de toute beauté !

— Nous lui transmettrons votre proposition », dit sèchement Glenda.

Pettie s'éloigna rapidement avec la carte de crédit d'Alvirah. Luella faisait l'article à trois majorettes du lycée de Branscombe tout émoustillées : « Vous devriez essayer une de ces breloques. Elles sont ravissantes ! Et quel meilleur souvenir du Festival de la Joie ! »

Jack se tourna vers Regan et marmonna : « Je crois que je n'aurai pas besoin d'une breloque pour me rappeler ce festival.

— Moi non plus, répondit-elle. Au fait, Alvirah, avez-vous jamais rencontré la dame de compagnie de Kitty ?

— Une seule fois, et pas plus d'une minute. Kitty et elle descendaient d'un taxi au moment où je m'en allais. J'aurais dû la regarder plus attentivement, mais je portais deux gros sacs-poubelle. Mme O'Keefe semblait produire des tonnes de détritus par semaine. »

Pettie réapparut avec un petit paquet-cadeau, une fiche et un reçu pour Alvirah. « Puis-je avoir votre signature, madame Meehan ? demanda-t-il.

— Certainement.

— Et voici le numéro de Rufus Blackstone. Je viens de l'appeler, mais il n'est pas chez lui et n'a pas de répondeur. Je voulais l'avertir de votre prochain appel et lui annoncer qu'il peut venir chercher son chèque. Si j'en ai l'occasion, je tenterai de le joindre à nouveau.

— Merci, dit Alvirah. Nous nous en occuperons plus tard. Il faut d'abord que je découvre où était passée cette bague pendant huit ans.

— J'imagine la réaction de Duncan quand il apprendra cette histoire ! dit Glenda au moment où ils passaient la porte.

— N'oubliez pas de lui dire que je peux lui confectionner une bague superbe en très peu de temps ! » cria Pettie derrière eux.

La foule devant la vitrine s'était dispersée.

22

Après s'être assurés que Fleur était parfaitement ligotée et bâillonnée, Betty, Jed, Woodrow et Edmund quittèrent le bureau secret de Jed et regagnèrent la maison.

Woodrow se dirigea vers la cuisinière où le gâteau juste sorti du four refroidissait sur une grille. Il en rompit un morceau et le fourra dans sa bouche. « Pas mauvais. »

Betty s'empara du moule. « Ôte tes pattes de mon gâteau !

— J'ai rien avalé de la journée, à peine deux bonbons, se plaignit-il. On était en route pour faire un bon déjeuner à Boston quand nous avons découvert que nous étions victimes d'un horrible forfait.

— Jed, prépare-leur quelque chose à manger, ordonna Betty. Ensuite, vous disparaîtrez. Les clients vont revenir pour le thé. Je vais ôter les affaires de Fleur de sa chambre.

— Disparaître ? Où ? demanda Edmund. Pas dans la resserre. On y gèle.

— Il n'y a qu'un seul endroit. Le sous-sol. Je ne peux pas vous laisser ici et risquer que quelqu'un entre par la porte battante.

— Le sous-sol ? gémit Woodrow. C'est une blague ou quoi ?

— Vous n'êtes pas exactement les bienvenus, rétorqua Betty. Je reviens dans une minute. »

À la réception, elle chercha dans un tiroir le reçu de la carte de crédit de Fleur et le déchira en morceaux. Grâce au ciel, Jed n'avait pas encore validé la transaction. Puis une question angoissante lui traversa l'esprit : Fleur avait-elle parlé à quelqu'un depuis son arrivée ici ?

Betty monta sans plus attendre dans la chambre de la jeune fille. Un téléphone portable était posé sur le lit. Betty s'en empara, retint son souffle, l'ouvrit et appuya sur la touche des « messages envoyés ». Le dernier avait été émis tôt dans la matinée. Betty poussa un soupir de soulagement puis appuya sur « messages reçus ». Elle constata que Fleur n'avait pas répondu au téléphone depuis son arrivée ni pris connaissance des appels enregistrés mais elle avait besoin du mot de passe pour y accéder. Elle me donnera son code, pensa Betty avec un air sombre en éteignant le portable et en le fourrant dans la poche de son tablier.

Le couvre-lit était intact. Betty l'aplatit et tapota les oreillers. Il était clair que Fleur ne s'était pas couchée. Elle alla prendre sa trousse de toilette dans la salle de bains et la fourra dans le sac à bandoulière, puis elle essuya le lavabo avec une serviette avant de regagner la chambre. Elle jeta un rapide coup d'œil autour d'elle, s'assurant que rien ne lui avait échappé, et ramassa le manteau de Fleur sur le fauteuil.

Dans la buanderie, elle jeta la serviette dans la trappe à linge sale et planqua momentanément les affaires de Fleur dans l'armoire à linge. Voulant vérifier que personne n'était rentré pendant qu'ils étaient dans la remise, elle ouvrit les portes des cinq autres chambres avec son passe. Après avoir constaté que l'étage était désert, elle récupéra manteau et sac, descendit l'escalier à la hâte et alla verrouiller la porte d'entrée. Il faudra sonner désormais, se dit-elle. Je ne peux pas courir le risque de tomber sur une petite rusée comme Fleur.

Dans la cuisine Edmund et Woodrow avalaient bruyamment leur potage de légumes. Le bol à peine entamé de Fleur était encore sur la table. J'aurais dû lui dire que nous ne servions pas à déjeuner, pensa Betty, furieuse. Ça m'apprendra à être trop gentille.

Elle s'assit à la place qu'occupait la jeune fille, jeta le manteau sur une chaise, et entreprit de fouiller dans le sac. « Rien », dit-elle avec dédain. D'une poche fermée par une fermeture à glissière, elle extirpa un portefeuille. Lui tomba d'abord sous les yeux une photo de Fleur et de Duncan, leurs têtes appuyées l'une contre l'autre, souriant d'un air béat. Elle la brandit. « Regardez-moi ça.

— Roméo et Juliette », grommela Woodrow en raclant le fond de son bol avec sa cuiller.

« Quel beau couple. Mais ils ont mal fini.

— On sait tous comment ils ont fini, Edmund, s'impatienta Woodrow. Tu veux toujours avoir l'air plus malin que moi.

— Je n'ai pas besoin de m'en donner l'air, répliqua Edmund. C'est bien toi qui as voulu laisser le billet dans le congélateur. Je savais que c'était une idée stupide. Si nous l'avions emporté avec nous, nous serions à Boston en train de déguster un bon steak bien saignant à l'heure qu'il est.

— La ferme ! gronda Jed. Je ne veux plus vous entendre ! C'est sûr que ça va mal finir pour Betty et moi. Nous n'aurons plus qu'à décamper. »

Le silence régna un instant dans la cuisine tandis que les propos qui venaient d'être prononcés pénétraient lentement le cerveau des cousins.

« Je me plais à Branscombe », continua Jed avec fermeté. « Et je n'ai aucune envie de m'en aller. » Il se tourna vers Betty. « Et toi ?

— Moi non plus, renchérit Betty. Voyager est épuisant de nos jours, surtout quand on est en fuite. Et puis Jed n'est pas très en forme depuis quelque temps. Il aime rester à la maison et regarder la télévision. Nous sommes devenus casaniers. Et ce n'est pas si désagréable. Non, quoi qu'il arrive, plus question de cavale. »

Jed acquiesça. « Si nous nous rendons complices d'un enlèvement et que nous gardons la fille pour l'échanger contre une rançon, nous ne pourrons plus rester dans cette maison. Betty et moi sommes peinards ici. Nous sommes heureux dans le New Hampshire. Nous aimons la neige et Betty est devenue une pâtissière réputée, comme vous l'avez peut-être remarqué.

— Écoute-les, dit Woodrow à Edmund. On se croirait dans *La Petite Maison dans la prairie.* » Il se tourna vers Jed. « Et vos escroqueries sur Internet et les cambriolages chez vos anciens clients, qu'est-ce que vous en faites ?

— C'était juste histoire de m'occuper ! Peut-être pas très honnête, comme activité, mais du bricolage comparé à une inculpation pour enlèvement. Et même si vous récupérez votre billet gagnant en échange de cette fille, rien ne garantit que vous toucherez le fric à la fin. Le jour où quelqu'un tentera d'encaisser ce billet, le bureau de la loterie sera envahi par les flics. Et si, par miracle, vous touchez cet argent, comment voulez-vous que nous vous fassions confiance pour nous remettre notre part ? Vous ne nous avez même pas prévenus que vous aviez gagné.

— Nous allions..., commença Woodrow.

— C'est vrai, nous allions le faire, l'interrompit Edmund. Nous étions tellement excités...

— Ben voyons. Je vais vous dire une chose. Si nous relâchons cette nana, dix minutes après, tous les flics du New Hampshire seront à nos trousses.

— Alors, qu'est-ce qu'on fait ?

— Si vous voulez récupérer votre billet auprès de Duncan, ne dites pas un mot de la fille. Menacez-le si nécessaire. Il va toucher l'argent de l'autre billet. Peut-être vous rendra-t-il le vôtre. Mais je vous préviens, pas d'arrangement pour échanger Fleur contre le billet. C'est compris ? »

Jed jeta un regard glacial aux deux cousins.

« Dans ce cas, qu'allons-nous faire d'elle ? demanda Edmund. On ne peut quand même pas la laisser éternellement dans la remise ?

— Pas question. Vous croyez que nous avons envie de l'avoir dans nos pattes ? s'exclama Jed. Il n'y a qu'une seule solution. » Il baissa la voix : « La nuit venue, nous la mettrons dans le coffre de votre voiture et la conduirons au pas du Diable. Nous la lesterons d'un bloc de ciment. Le lac est grand, froid et profond. On ne la retrouvera jamais. »

Edmund et Woodrow le regardèrent, abasourdis. « Le kidnapping est contraire à tes principes, mais pas le meurtre ? » demanda Edmund d'une voix étouffée.

Jed haussa les épaules.

« Je vois, fit doucement Edmund.

— C'est retourner en taule qui est contre mes principes, dit Jed. Nous avons toutes les chances de nous faire piquer si nous la gardons et exigeons une rançon. Je préfère la faire disparaître pour de bon.

— C'est trop risqué, avança Woodrow. Que se passera-t-il si on se fait prendre ? Laisse-moi échanger Fleur contre le billet de loterie. Nous te paierons dès que nous aurons l'argent, promis. Songe à tous les endroits dans le monde que tu pourras visiter…

— Nous avons fait notre choix », dit Betty d'un ton sans réplique. « Plus de cavale. »

Jed regarda par la fenêtre. « À cinq heures il fera nuit et toute la ville sera rassemblée pour la cérémonie aux chandelles. Nous en profiterons pour nous mettre en route et en finir avec cette histoire. Ensuite, nous vous serions reconnaissants, Betty et moi, de déguerpir. Nous ne voulons plus d'ennuis.

— Déguerpir ? se récria Edmund. Nous n'avons aucun endroit où aller et nous ne pouvons pas quitter Branscombe sans avoir récupéré ce billet. Votre sous-sol est plutôt accueillant, au fond. Est-ce qu'on peut l'occuper pour un soir ? »

23

Le déjeuner offert par la municipalité touchait à sa fin.

Les parents de Tommy avaient tenu à s'asseoir à côté de lui, le couvant des yeux comme si une dangereuse aventurière allait surgir d'un instant à l'autre et séduire le beau parti qu'était devenu leur fils. « Je sais que Tommy aimerait rencontrer la femme de sa vie, mais ce sera plus difficile à présent », avait dit sa mère, Ruth. « Il faudra que nous donnions notre approbation et, croyez-moi, ça ne se fera pas comme ça, hein, Burt ? » avait-elle poursuivi en se tournant vers son mari.

Comme d'habitude lorsque sa femme lui demandait son avis, Burt hocha la tête affirmativement. « Tommy est un bon garçon, déclara-t-il. Il a toujours été très méritant, même lorsqu'il n'avait pas un sou en poche. Quand on voit comment un type aussi intelligent que Sam Conklin s'est laissé embobiner, c'est plutôt angoissant. Penser qu'il a été marié pendant tant d'années à Maybelle, la femme la plus douce, la plus gentille de la terre, et qu'ensuite il a épousé ce dragon sorti d'on ne sait où. » Burt regarda les convives autour de lui. « Comment l'appelez-vous déjà, le Rat musqué ?

— La Mouffette, papa », corrigea Tommy, gêné par le tour que prenait la conversation. « Ne t'inquiète pas pour moi. Tout se passera bien. Crois-moi. »

Judy, la femme de Ralph s'esclaffa :

« L'abominable Mouffette ! En tout cas elle a mal choisi son moment. J'ai entendu dire que c'était la pagaille aujourd'hui chez Conklin, et rien ne peut me réjouir davantage.

— C'est vrai ? demanda Muffy d'un ton inquiet. J'espère que nous n'aurons pas de problèmes avec la restauration pendant le Festival. »

Ralph la rassura, avec un geste de la main :

« Soyez sans crainte, nous avons si bien préparé les choses à l'avance qu'ils devraient pouvoir se débrouiller sans nous.

— Parfait. C'est le premier Festival de la Joie de Branscombe, et nous voulons faire bonne impression sur nos visiteurs ainsi que sur les téléspectateurs qui regarderont le reportage. »

Marion repoussa sa chaise. « Festival ou pas, il faut aller à la banque. Je ne serai tranquille qu'une fois que nous aurons déposé ce billet dans un coffre et vérifié que la salle est verrouillée. » Elle se tourna vers Nora : « J'ai été très heureuse de bavarder avec vous. J'espère que nous nous reverrons plus tard.

— Nous allons tous nous revoir », dit Muffy avec entrain. « La ville entière va assister à l'inauguration du Festival. J'espère que Duncan pourra être des nôtres. Je me réjouis tellement qu'il soit revenu sain et sauf parmi nous. C'eût été une telle déception s'il n'avait pas réapparu. »

C'est une façon de voir les choses, pensa Luke. Depuis que Willy était entré dans la salle à manger sans Alvirah, il était clair que Nora contenait difficilement son envie de savoir pour quelle raison son amie avait filé avec Jack et Regan. Visiblement, elle ne croyait pas qu'Alvirah avait cédé à l'envie irrésistible de visiter Branscombe. Et Luke n'y croyait pas davantage.

« Oh, Duncan est de retour, c'est très bien en effet », disait à Muffy la mère de Tommy, d'un ton moqueur. « Je remarque d'ailleurs qu'il n'a pas refusé de faire partie du groupe de gagnants.

— Maman, la reprit Tommy. Rappelle-toi le numéro 32. C'était le numéro complémentaire de Duncan. Nous ne serions pas ici en ce moment s'il ne l'avait pas choisi.

— Peut-être, en effet. En tout cas nous t'accompagnerons à la banque, mon fils. »

Muffy se tourna vers Nora : « J'aimerais beaucoup vous faire admirer notre charmante petite ville cet après-midi. Nous pourrions nous arrêter à la vente de charité de la paroisse et jeter un coup d'œil à toutes les merveilles qui seront exposées ce soir. On est en train d'apporter la touche finale aux préparatifs, et je pourrai vous montrer l'endroit où vous donnerez votre lecture demain. Cela vous convient-il ? » Comme à son habitude, elle n'attendit pas la réponse. « Ce sera épatant ! J'aurais aimé que Regan soit là. Peut-être pourra-t-elle nous rejoindre plus tard. Willy, Luke, êtes-vous partants pour un tour en ville ?

— Oui », répondirent les deux hommes d'une seule voix, unique moyen d'interrompre ce flot de paroles.

« Muffy, dit Nora, Luke, Willy et moi n'avons pas encore eu le temps de monter dans nos chambres. Nous pourrions nous retrouver dans le hall dans une vingtaine de minutes.

— Parfait ! »

Les chambres des Reilly et des Meehan se faisaient face au premier étage. Au moment où ils sortaient de l'ascenseur, Nora dit : « Willy, pouvez-vous venir une minute dans notre chambre ? » Ce n'était pas une question.

Et voilà ! pensa Luke. « Préparez-vous à un interrogatoire en règle, mon vieux », chuchota-t-il.

Willy leva les yeux au ciel. « Regan m'a fait jurer de ne rien dire.

— Elle ne pensait pas à nous, lui assura Nora.

— Si, justement, dit Luke.

— Oh, Luke, arrête. » Nora fit une grimace. « Dépêche-toi et ouvre la porte. »

Ils étaient à peine entrés qu'elle se tourna vers les deux hommes. « Willy, que se passe-t-il ? Pourquoi Alvirah est-elle partie avec les autres ? »

Même l'impassible Luke parut stupéfait en entendant les explications de Willy. « Vous dites qu'ils se baladent avec un billet de loterie d'une valeur de cent soixante millions de dollars qui appartient à deux criminels ?

— C’est à peu près ça », répondit Willy en posant sa main sur la poignée de la porte. « Je ferais mieux d’aller me préparer maintenant. Je vous rejoins en bas dans vingt minutes. »

24

Au service des urgences de l'hôpital général de Branscombe, la réceptionniste leva des yeux étonnés en voyant les quatre amis s'avancer vers son bureau. Elle reconnut Glenda et sourit. « Je vous ai vue à la télé. Vous êtes une des gagnantes à la loterie !

— Oui, c'est exact, répondit Glenda. Et croyez-moi, j'ai encore du mal à y croire. Nous voudrions voir Duncan Graham, l'un des autres gagnants.

— J'ai essayé d'appeler sa petite amie de sa part, mais sa boîte était pleine. Cette fille est vernie ! Comme dirait ma grand-mère, elle a une veine de pendu !

— C'est une expression qu'employait aussi la mienne », dit Alvirah, se rappelant que la version de sa propre grand-mère était un peu plus leste.

« Ma grand-mère avait un dicton pour chaque occasion », dit la réceptionniste en riant. Elle désigna une porte. « Il est juste là. Le troisième box sur la droite. Je ne devrais pas vous laisser entrer tous ensemble, mais nous n'avons pas de cas graves en ce moment. Juste quelques os brisés.

— C'est tout ? » murmura Jack au moment où ils franchissaient la porte.

Le troisième box était fermé par des rideaux. Glenda appela : « Duncan ?

— Je suis là », répondit celui-ci d'une voix faible.

Alvirah distingua une silhouette allongée sur le lit, le visage pâle, mal rasé, anxieux. Il n'a pas l'air dans son assiette, songea-t-elle.

« Glenda ! » s'écria Duncan en essayant de s'asseoir. « As-tu mon téléphone portable ?

— Tiens. » Elle lui tendit l'appareil. « Je crois que tu as déjà rencontré Jack Reilly. »

Elle s'apprêtait à lui présenter Regan et Alvirah, mais Duncan l'interrompit :

« Excusez-moi d'être grossier, mais je suis très inquiet. Fleur, ma fiancée, ne m'a toujours pas rappelé. Elle a peut-être eu un accident... »

Une infirmière s'approcha. « Monsieur Graham, nous allons vous faire un plâtre maintenant. Et vous ne devez pas utiliser ce téléphone. Ce n'est pas autorisé. » Elle se tourna vers les autres. « Ce ne sera pas long. Vous pouvez attendre dehors.

— Glenda, dit rapidement Duncan. Peux-tu essayer de joindre Fleur ? Son numéro doit encore être inscrit dans ton portable. Si elle ne répond pas, essaie l'endroit où elle travaille. Tu le trouveras aussi dans ta liste de numéros. J'ai essayé de les appeler il y a un moment. Demande-leur s'ils ont de ses nouvelles. »

Son regard trahissait son inquiétude.

« Bien sûr, Duncan. Je vais passer ces appels, nous t'attendrons à l'extérieur. » Elle se tourna vers l'infirmière : « Pourra-t-il sortir de l'hôpital dès qu'il aura son plâtre ?

— Bien sûr. Nous lui fournirons des béquilles, et hop ! en route. »

Le petit groupe se retira dans la salle d'attente. Glenda tenta de joindre Fleur sur son portable, mais sa boîte était toujours pleine. Elle composa ensuite son numéro professionnel. Une voix douce répondit : « Jardin d'enfants les Petits Chéris.

— Puis-je parler à la directrice ? demanda Glenda.

— Nous sommes complets pour les quatre prochaines années, annonça fièrement la femme.

— Je n'appelle pas pour cette raison. Je dois absolument joindre l'une de vos collègues. Fleur... »

Glenda s'aperçut qu'elle ne connaissait pas le nom de famille de Fleur. Mais combien de personnes prénommées Fleur travaillaient dans l'établissement ?

« Bien sûr, Fleur, dit son interlocutrice.

— J'appelle de la part de son ami. Il vient de se casser la jambe et désire la joindre au plus vite.

— Duncan s'est cassé la jambe ?

— Oui. Vous le connaissez ?

— Non. Mais Fleur ne cesse de parler de lui. Il a déjà téléphoné dans la matinée.

— C'est exact. Il est inquiet parce qu'il n'arrive pas à la joindre. Il ignorait qu'elle avait pris un jour de congé.

— Attendez, dit son interlocutrice. C'est le milieu de l'après-midi chez vous, n'est-ce pas ?

— Oui.

— Oh, mon Dieu ! »

Le cœur de Glenda se serra. « Qu'y a-t-il ?

— Fleur a voulu lui faire une surprise aujourd'hui. Elle a décidé de prendre un des derniers vols pour Boston hier soir, puis un bus tôt dans la matinée pour la ville où habite Duncan. Elle devrait être arrivée depuis un bon moment. C'est bizarre qu'elle ne réponde pas au téléphone.

— Savez-vous quel vol elle a pris précisément ?

— Je suis désolée, je l'ignore.

— Merci. Si vous avez de ses nouvelles, pourriez-vous avoir la gentillesse de nous appeler, moi ou Duncan ? »

Elle dicta les deux numéros.

« Et si vous apprenez quelque chose de votre côté, prévenez-nous. Nous aimons beaucoup Fleur. Nous étions déjà navrées à la pensée qu'elle allait nous quitter bientôt. »

25

« *La Mouffette* ! » ruminait Rhoda en entrant dans la maison où Sam avait vécu avec son ex-femme pendant une éternité. Elle claqua la porte si fort que les statuettes de Maybelle tremblèrent sur l'étagère au-dessus de la table de l'entrée. Dommage qu'elles ne soient pas tombées, se dit Rhoda. Sam l'avait laissée à regret refaire la décoration des lieux mais il avait insisté pour que les bibelots de Maybelle restent à leur place, ce qui l'exaspérait encore aujourd'hui. La salle de séjour de la maison de style colonial avait été entièrement meublée à neuf, avec des canapés de cuir noir, un tapis blanc de haute laine et des tableaux modernes auxquels Sam se plaignait de ne rien comprendre. Paysages, scènes florales et animaux avaient été relégués au grenier.

La salle à manger en érable de Maybelle, avec ses buffets d'angle et ses chaises garnies de coussins, avait été remplacée par une table de verre à piètement d'acier et des chaises inconfortables de forme triangulaire. À l'étage, la chambre de Richard était devenue le bureau de Rhoda, et l'ancienne chambre d'amis sa salle de gymnastique personnelle.

« Je vais enfin retrouver mon bel appartement », dit-elle tout haut. « J'ai fait l'essai de la vie à la campagne, mais je ne suis pas faite pour ça. » Elle ôta vivement son manteau et le jeta sur la rampe. « Plus vite j'aurai fait mes valises et filé d'ici, mieux ce sera ! Je lui revaudrai ça ! Après tout ce que j'ai essayé de faire pour lui, c'est toute la reconnaissance qu'il éprouve ! » Par les fenêtres, elle voyait la neige tomber soudain plus dru. Oh non, se dit-elle, je ne peux pas faire la route par un temps pareil ! Lorsque j'aurai rassemblé mes affaires, les chaussées seront devenues horriblement glissantes et je finirai par me retrouver coincée dans les encombrements. Entrer dans Boston un vendredi soir, veille de vacances... Non, mieux vaut attendre demain pour disparaître à tout jamais de cette ville.

Rhoda pensa à ses ex-maris, dont les deux qu'elle n'avait pas mentionnés à Samuel. Il n'y a rien de mal à divorcer deux fois, mais quand vous en êtes à votre *quatrième* rupture, cela suppose que vous êtes incapable de vous entendre avec personne et faites fuir les prétendants.

Samuel lui avait paru d'un caractère facile, mais elle avait vite découvert qu'il était têtu comme une mule. Le convaincre de mettre la prime des employés dans un fonds de retraite n'avait pas été une mince affaire. Je songeais seulement à notre avenir, pensa-t-elle. En tout cas, le contrat prénuptial me garantit deux cent mille dollars en cas de divorce. Un petit bonus qui m'aidera à bien commencer l'année. Si j'avais su combien ce vieux ronchon avait sur son compte d'épargne, j'aurais demandé davantage.

Pendant les six mois qu'elle avait passés à Branscombe, Rhoda s'était fait une seule amie, Tishie Thornton, qui n'avait jamais une parole aimable sur personne, et qui était le seul être humain dans cette ville à dire du mal de Maybelle. « Nous nous connaissions depuis l'âge de six ans et son éternelle gentillesse m'insupportait », avait-elle confié à une Rhoda aux anges. « J'avais beau avoir une belle voix, c'était toujours à elle que l'on confiait les solos à l'école et dans le chœur de l'église. Je ne supportais pas de la voir, avec son air innocent, tenant son livre de chant à la main, les yeux tournés vers le ciel comme si elle était un ange. J'ai fini par quitter le chœur et n'y ai jamais remis les pieds, même après la mort de Maybelle. Je n'avais pas envie d'entendre chanter ses louanges à longueur de journée. »

Rhoda s'attarda dans la maison silencieuse. Je ne vais pas traîner ici toute la journée, se dit-elle. Elle alla décrocher le téléphone de la cuisine. Tishie répondit presque aussitôt.

« Rhoda, il paraît que tu as eu une journée difficile, dit-elle, s'efforçant de prendre un ton compatissant.

— Tu peux le dire !

— Pas de prime, hein ?

— Ils ont été suffisamment bien payés pendant toute l'année.

— Personne n'en doute. Et regarde-les maintenant ! Ils n'en ont plus besoin. Es-tu au courant de la bague que Duncan a achetée pour sa petite copine ?

— Je ne suis au courant de rien. J'étais trop occupée à remettre de l'ordre dans les étalages.

— Duncan a versé un acompte pour réserver une bague en forme de fleur chez Pettie, et maintenant il paraît qu'il est furieux. Pettie a exposé la bague dans sa vitrine à côté de ces breloques du Festival dont Luella m'a rebattu les oreilles.

— Une bague en forme de fleur ? répéta Rhoda.

— Oui. Un petit diamant enchâssé dans des pétales en pierres de couleur.

— Qui est sa petite amie ?

— Personne ne le sait. Tout le monde s'en fiche.

— Tu as raison, on s'en fiche complètement », renchérit Rhoda en revoyant brusquement le visage de la jeune fille qui cherchait Duncan ce matin-là. « Surtout moi.

— Alors, que t'arrive-t-il ? Tu n'appelles pas uniquement pour bavarder après tout ce qui est arrivé au magasin.

— Sam et moi avons rompu. Notre mariage est *kaputt. Finito. Bye-bye.*

— Déjà ? Je savais que tu t'ennuierais comme un rat mort avec lui. Mais tu aurais dû attendre ton cadeau de Noël.

— Il me l'a déjà acheté. Un magnifique bracelet que nous avons trouvé à Boston en allant voir son fils au théâtre. Sam a failli avoir une attaque quand il a signé le chèque. Le bracelet est au coffre, dans un bel emballage. Ne t'inquiète pas, je n'ai pas l'intention de l'y laisser.

— Bravo, Rhoda. Après tout, tu lui as donné les six meilleurs mois de ta vie. »

Rhoda partit d'un éclat de rire. « J'ai eu l'impression qu'ils duraient six ans ! Tishie, il fait un temps de chien, ce qui m'oblige à passer une nuit de plus ici. Pourquoi n'irions-nous pas prendre le thé au Refuge ? Cette Betty est agaçante avec son ton sucré...

— Elle me rappelle Maybelle, la coupa Tishie.

— Ne m'en parle pas ! J'ignore si Betty sait chanter, mais elle sait sûrement faire des gâteaux. Nous pourrons passer un moment et potiner, à l'écart de tout le tintouin du Festival. J'en ai par-dessus la tête.

— Moi aussi. Je peux te retrouver là-bas dans une demi-heure, d'accord ?

— Oui. Merci, Tishie. Sans toi, je me serais probablement tirée il y a longtemps.

— J'en suis désolée. À tout à l'heure. »

Rhoda raccrocha. Bien qu'elle n'éprouvât plus aucun sentiment pour Samuel, elle se sentait un peu déprimée. Une pensée la réconforta. C'était la saison des bals pour célibataires seniors à Boston. Elle avait assisté à six d'entre eux l'année précédente sans tomber sur la perle rare, mais qui sait ? Il y avait peut-être une nouvelle fournée de veufs et de divorcés depuis qu'elle était venue s'enterrer à Branscombe. Pourquoi pas ? Pourquoi ma prochaine grande histoire d'amour ne commencerait-elle pas pendant que Samuel exerce ses talents de cuisinier au dîner de la paroisse ? Elle monta à l'étage en fredonnant.

26

Lorsque l'on ramena Duncan sur sa civière dans la salle d'attente, sa jambe droite plâtrée de la cheville au genou, Jack avait été informé par son service que Fleur avait pris l'un des derniers vols sur Pacific Airlines pour Boston, où elle était montée dans un car en direction de Branscombe.

« Il n'y a aucune autre transaction sur la carte de crédit qu'elle a utilisée pour acheter ses billets », lui avait rapporté l'inspecteur Joe Azzolino. « Quant à cette fameuse société pétrolière, elle est bidon. »

Comme ils l'avaient prévu, la première question de Duncan fut : « Avez-vous pu joindre Fleur ?

— Pas encore, dit Jack. Mais d'abord, laissez-nous vous conduire à la voiture. »

Alvirah se sentit pleine de compassion en voyant les infirmiers aider Duncan à se lever et lui tendre ses béquilles. Au moins ai-je pu sortir de l'hôpital sur mes deux jambes, pensa-t-elle en vérifiant son bandage d'un geste machinal.

La neige tombait abondamment dehors. Ils étaient à peine installés que Duncan demanda avec inquiétude : « Glenda, as-tu téléphoné au jardin d'enfants ?

— Ne t'inquiète pas, Duncan...

— Que veux-tu dire ?

— Fleur a demandé un jour de congé. Elle a pris le dernier vol de Boston hier soir, elle voulait te faire une surprise. Nous savons qu'elle a acheté un ticket de bus pour Branscombe et qu'elle aurait dû arriver ici vers dix heures ce matin.

— Alors, où est-elle en ce moment ? Pourquoi ne répond-elle pas au téléphone ?

— Nous l'ignorons, Duncan », dit Regan d'un ton calme. « Nous allons nous rendre à la gare routière et demander si quelqu'un se souvient de l'avoir vue. Glenda a mis quelques effets dans un sac à votre intention, au cas où vous passeriez la nuit à l'auberge. Elle y a joint la photo d'une jeune fille qu'elle a trouvée sur votre commode. Elle a pensé qu'il s'agissait de Fleur.

— Bien sûr que c'est Fleur ! Qui voulez-vous que ce soit ? Puis-je l'avoir ? » demanda-t-il d'une voix étranglée.

Glenda prit la photo dans le sac et la lui tendit.

Il la tint entre ses mains, les yeux soudain humides. « Il lui est arrivé quelque chose », dit-il en contemplant la photo. « J'en suis sûr. Même si elle avait voulu attendre jusqu'à ce soir pour me faire une surprise, elle aurait répondu au téléphone. Ces bandits de Winthrop étaient sur le point de partir pour Boston. Je leur ai parlé de Fleur quand je leur ai exposé quels étaient mes objectifs dans la vie. Auraient-ils pu la rencontrer ?

— Ont-ils jamais vu sa photo ? demanda Jack.

— Non.

— Dans ce cas, c'est peu probable, Duncan. Mais nous avons découvert que le certificat d'actions était faux. Il vous faudra déposer une plainte au bureau du district attorney. Ils lanceront un mandat d'arrêt contre ces escrocs.

— Peu m'importe pour l'instant ! S'ils détiennent Fleur, c'est un crime bien pire que de vendre un puits de pétrole bidon. Je n'ai rien à faire d'un mandat d'arrêt. Il faut retrouver Fleur.

— Nous la retrouverons, affirma Jack.

— Nous devrions d'abord aller à Conklin's Market, suggéra Alvirah. Si Fleur est arrivée ce matin sans savoir que vous aviez gagné à la loterie, c'est sûrement là qu'elle aura cherché à vous retrouver. Elle n'a pas la clé de votre domicile, n'est-ce pas ?

— Elle n'y est jamais venue », dit tristement Duncan.

Glenda le rassura :

« Elle y viendra bientôt. Alvirah, ajouta-t-elle, c'est certainement une bonne idée, mais je crains que M. Conklin ne soit pas ravi de me voir réapparaître après avoir découvert les photos de son mariage sur le pas de sa porte ce matin. Mais bah, je me fiche de ce qu'il pense. » Elle se tourna vers Duncan : « Tu ferais mieux de rester dans la voiture. Le sol est glissant et ce n'est pas la peine de faire une nouvelle chute. J'interrogerai tous les employés qui travaillent au magasin aujourd'hui. »

Arrivé à l'extrémité du parking de l'hôpital, Jack demanda à Glenda de lui indiquer la direction à suivre.

« À droite et puis continuez tout droit. »

Quand ils s'arrêtèrent devant Conklin's Market, Regan se tourna vers Glenda : « Je vous accompagne. Duncan, quelle est la taille de Fleur et quel âge a-t-elle ?

— Elle a vingt-quatre ans, mais elle fait plus jeune – elle est petite, environ un mètre cinquante-huit.

— Puis-je avoir sa photo, je vous prie ? »

Duncan la lui tendit à contrecœur.

À l'intérieur du magasin, Glenda entendit une voix familière, Paige, une jeune caissière l'interpellait : « Ho, regardez qui est là ! Ne me dis pas que ton billet est faux et que tu veux reprendre ton boulot ? »

Glenda et Regan se hâtèrent vers elle. Une femme au caddie débordant venait de régler ses achats. « Paige, il faut que je te parle une minute.

— Bien sûr. » La jeune fille ferma sa caisse. « Que puis-je faire pour toi maintenant que tu es pleine aux as ? »

Glenda la présenta à Regan et à Jack, montra la photo de Fleur, et expliqua la situation : « ... elle s'apprêtait à rendre visite à Duncan et elle a disparu.

— Ils font une sacrée paire ! » lança Paige d'un ton moqueur en faisant claquer son chewing-gum. « C'est bien lui qu'on a cherché toute la nuit, non ? Je suis baba que vous ayez partagé vos gains avec lui. Vous auriez dû me demander. Je vous aurais filé un dollar.

— Paige, je ne plaisante pas. C'est sérieux.

— Oh, excuse-moi.

— Est-ce que tu aurais vu cette jeune fille dans le magasin aujourd'hui ? »

Paige examina la photo. « Non, je ne l'ai pas vue. Si elle est venue faire des achats, elle n'est pas passée par ma caisse.

— Bon. Nous allons demander aux autres. »

Paige baissa la voix : « Glenda, tu as raté le feu d'artifice de ce matin. La Mouffette a disputé un concours de vociférations avec M. Conklin et elle est partie en claquant la porte. Il lui a dit de retirer de la vente son appartement de Boston. Pour nous le Festival de la Joie est en plein boum.

— Tu plaisantes ?

— Pas du tout. C'est vrai.

— J'aurais presque envie de reprendre le travail.

— Tu parles !

— M. Conklin est-il dans son bureau ?

— Il est reparti aux cuisines et a retroussé ses manches. Il a même mis un tablier. Il faut que les plateaux-repas soient prêts et transportés jusqu'au Festival.

— J'ai des remords en t'écoutant, murmura Glenda.

— À ta place, je n'en aurais pas », dit Paige en rouvrant sa caisse à l'intention d'un nouveau client. « C'est lui le propriétaire de l'établissement. D'ailleurs, je ne l'ai jamais vu de meilleure humeur. »

Glenda et Regan montrèrent la photo de Fleur aux autres employés. Ils étaient tous là depuis le début de la matinée et personne n'avait le souvenir de l'avoir vue.

« Regan, allons parler à M. Conklin. »

Regan la suivit dans la vaste cuisine où une demi-douzaine de personnes s'affairaient à préparer des assiettes de viande froide et des salades.

« Bon travail, les enfants ! disait Sam. Voilà enfin retrouvé l'esprit d'équipe de la maison ! » Il se retourna et aperçut Glenda. Tous deux eurent un instant d'hésitation, puis Sam fit un grand sourire et s'élança vers elle, les bras ouverts. « Glenda, félicitations, je suis si heureux pour toi, dit-il en la serrant contre lui.

— Je regrette. Nous n'aurions pas dû déposer ces photos devant votre porte, dit Glenda. C'était lamentable.

— Ne t'inquiète pas. J'en ai fait un joli feu de joie. Est-ce qu'on t'a dit que...

— Oui, dit Glenda.

— Je suis honteux. Je l'ai laissée me convaincre de vous supprimer la prime de fin d'année. Allons dans mon bureau. Je sais que vous n'en avez pas besoin, mais j'ai préparé les chèques que j'aurais dû vous remettre à tous les cinq hier soir. Glenda, tu as été une employée modèle pendant dix-huit ans. » Il la serra à nouveau dans ses bras. « Je ne pourrai pas me regarder dans la glace tant que ces chèques ne seront pas entre vos mains.

— C'est très gentil de votre part, monsieur Conklin, mais il y a quelque chose de plus urgent. » Glenda présenta Regan, puis lui montra la photo de Fleur. « Duncan est certain qu'elle court un danger. Vous ne l'auriez pas vue aujourd'hui dans le magasin par hasard ? »

Sam examina la photo. « Non. As-tu demandé aux autres employés ?

— Oui. Personne ne l'a vue, et personne ne se souvient que quelqu'un ait demandé à voir Duncan. »

Sam montra rapidement la photo à tous les membres du personnel qui s'activaient dans la cuisine. La réponse fut négative. « As-tu une idée de l'heure à laquelle elle est venue ? » demanda-t-il en rendant la photo à Glenda.

« Sans doute un peu après dix heures. C'est l'heure à laquelle son bus est arrivé à la gare routière.

— La Mouffette était encore là. Je me demande si elle l'a vue.

— La Mouffette ? répéta Glenda avec un sourire en coin.

— Ne fais pas l'innocente.

— D'accord.

— Veux-tu que je lui téléphone pour lui demander si elle a parlé à la fiancée de Duncan ? Je le ferais uniquement pour t'aider.

— Je vous en prie. C'est important. »

Rhoda ne décrocha pas.

« Ce n'est pas étonnant. Elle doit fulminer en voyant mon nom s'afficher sur son portable », dit Conklin. Il se tourna vers Regan : « Vous aurez peut-être plus de chance que moi. »

Mais Rhoda Conklin ne décrocha pas davantage lorsque Regan tenta à son tour de la joindre. Celle-ci laissa un message, s'identifiant et expliquant la raison de son appel. « S'il vous plaît, ayez l'amabilité de me rappeler dès que possible. »

Sam tapota sur le comptoir. « Un de nos nouveaux jeunes employés travaillait ce matin au rayon des fruits et légumes et Rhoda a voulu le renvoyer. Il charge un camion à l'extérieur en ce moment. » La porte s'ouvrit. « Ah, le voilà. Hé, Zach », cria-t-il au jeune homme aux joues roses, « viens par ici une minute, je te prie.

— Bien sûr, monsieur Conklin. »

Zach se hâta de les rejoindre.

« Non », dit-il en secouant la tête après avoir regardé la photo de Fleur. « Je ne l'ai pas vue. Mais vous savez, même si nous

nous étions trouvés face à face, je ne l'aurais pas remarquée tellement la Mouffette hurlait après moi ce matin. Je suis bien content que vous vous en soyez débarrassé, ajouta-t-il avec flamme. Félicitations.

— Très bien, Zach », fit Sam, un peu décontenancé par l'ardeur du jeune homme : « Continue à charger le camion. La femme du maire commence à s'inquiéter. Nous avons une ville entière à nourrir.

— Okay. »

Zach saisit un autre plateau et repartit vers la porte du fond.

Glenda soupira : « Merci, monsieur Conklin. Nous devons continuer nos recherches. Duncan est mort d'inquiétude.

— C'est vraiment navrant qu'il se ronge les sangs le jour où ses collègues lui offrent douze millions de dollars. J'espère que tout se terminera bien. Duncan est un brave garçon.

— Fleur n'est peut-être pas loin et nous allons la voir arriver, dit Glenda. J'espère vous voir pendant le week-end, monsieur Conklin. »

Une fois dans la voiture, ils durent annoncer à un Duncan effondré que personne n'avait vu Fleur. « Mais le magasin était particulièrement animé aujourd'hui », dit Regan d'un ton résolument optimiste. « Allons à la gare routière.

— Tout va de mal en pis ! s'écria Duncan. Alvirah m'a raconté l'histoire de la bague ! » Il regarda par la vitre les gros nuages sombres et la neige qui tombait de plus belle. « Et si Fleur avait été subitement frappée d'amnésie et errait dehors par ce temps ? »

À la gare routière, il tint à les accompagner à l'intérieur. Une femme de ménage lavait le sol près de l'entrée. Lorsque Regan lui présenta la photo de Fleur, un rapide coup d'œil lui suffit avant de répondre : « Oui, je l'ai vue ce matin. Elle se refaisait une beauté dans les toilettes des dames quand je suis entrée pour vider les corbeilles. Une bien jolie jeune fille.

— Vous êtes sûre que c'était elle ? »

La femme se renfrogna. « À moins que ce soit son double.

— Vous souvenez-vous de ce qu'elle portait ?

— Rien de spécial. Un jean, je crois. Un anorak. Peut-être gris. Elle avait un sac à dos de couleur bordeaux où était inscrit un slogan hippie que je n'avais pas vu depuis des années : FLOWER POWER.

— C'est elle, gémit Duncan.

— À quelle heure l'avez-vous vue ? demanda Regan.

— Vers dix heures trente – juste avant ma pause. »

Le seul employé présent au guichet des billets avait aussi remarqué Fleur. « Je l'ai vue descendre du bus, puis quitter la gare. Elle n'est pas revenue », affirma-t-il.

Duncan regarda Glenda et Regan. « Il faut bien qu'elle soit quelque part. Je sonnerai à toutes les portes de cette ville, s'il le faut. »

Il tourna les talons aussi vite que le lui permettait son plâtre volumineux, s'appuyant lourdement sur ses béquilles, et regagna la voiture.

27

Le bureau de Jed, au fond de la remise, était éclairé par une seule fenêtre en haut du mur dont le store était presque complètement baissé. À travers le carreau du bas, Fleur voyait la neige tomber à gros flocons. Avant de la quitter, Betty avait éteint toutes les lumières et Jed avait débranché ses trois ordinateurs. La pièce était glacée, bien qu'ils aient laissé un radiateur soufflant en marche. Sans ça, je serais morte de froid, pensa Fleur en frissonnant.

Dans la pénombre, elle s'était déjà familiarisée avec le décor qui l'entourait. Cet endroit est effrayant, se dit-elle. Personne ne pourrait en soupçonner l'existence. Et personne ne soupçonnerait, à voir Jed avec son air de paysan, qu'il avait monté une telle entreprise. Des clés étaient accrochées au-dessus de l'établi. Un casier de classeurs était fermé par un cadenas. De l'endroit où elle était assise, Fleur apercevait un écran où se reflétait l'activité enregistrée par les huit caméras installées dans les différentes pièces de la maison.

Ils avaient affirmé n'avoir ni télévision, ni radio, ni Internet, se rappela-t-elle amèrement en essayant de dénouer les cordes qui lui liaient les poignets derrière le dos. Mais ses doigts ne pouvaient pas atteindre les nœuds. Et le bâillon l'étouffait. Elle tenta de remuer la mâchoire, ce qui n'eut pour résultat que d'accroître sa gêne pour respirer. Elle se sermonna. Il fallait se calmer. Mais comment ? Même si Duncan leur donnait le billet, ils ne la relâcheraient jamais. Je peux tous les identifier, songea-t-elle. Ma seule chance serait qu'après avoir récupéré le billet et l'avoir encaissé, ils quittent le pays en laissant une indication de l'endroit où me retrouver. On pouvait toujours rêver.

Tout est ma faute, se dit-elle encore. Sans nouvelles de Duncan, je n'ai pas imaginé une minute qu'il ait pu lui arriver quelque chose. Éprouve-t-il le même sentiment à mon égard en ce moment ? Probablement pas. Des larmes lui montèrent aux yeux. Il est si bon. Même si je finis par sortir d'ici, je ne lui reprocherai pas de ne plus vouloir de moi.

Sur l'écran, elle vit une voiture ralentir dans l'allée, sur le côté gauche du Refuge, et se ranger dans le premier emplacement vacant. Deux femmes en sortirent qui se hâtèrent vers la porte d'entrée. Les gens vont arriver pour le thé, pensa Fleur. Certains se gareront peut-être à l'arrière de la maison, près de la remise. Si j'arrive à déplacer cette chaise de jardin sur laquelle je suis attachée et à la cogner contre le mur lorsqu'une voiture s'arrêtera près d'ici, je pourrai attirer l'attention de quelqu'un.

Avec précaution, petit à petit, elle commença à se soulever du sol, progressant centimètre par centimètre vers le mur. Si je tombe sur le côté, je ne serai jamais capable de me relever, se dit-elle, et ils comprendront que j'essayais de m'échapper. Elle chassa cette pensée et continua à se déplacer lentement, douloureusement, sur le sol de ciment. D'autres voitures arrivaient dans l'allée. Elle atteignit le mur juste au moment où l'une d'elles se garait près de la remise. Elle semblait si proche. Fleur entendit les portières claquer.

« Je t'assure, Tishie, disait une femme à la voix stridente, Sam Conklin me regrette déjà. Je le savais. Mais je ne vais pas répondre comme ça au téléphone. À mon tour de le faire mariner.

— Tu as bien raison, dit son amie. Entrons. On gèle dehors. »

Instinctivement Fleur voulut crier, mais seul un vague gémissement sortit de sa bouche. C'est la femme de Conklin, pensa-t-elle. Je reconnaîtrais cette voix entre mille. Mais peut-être pourrait-elle me sauver. Rassemblant toutes ses forces, Fleur se projeta avec la chaise contre le mur.

« Rhoda, quel est ce bruit ?

— Je n'ai rien entendu. Viens, Tishie. Je commence à être trempée. »

Sur le sol, Fleur se débattait pour redresser sa chaise quand elle entendit la porte coulissante du bureau de Jed s'ouvrir.

28

« Ce sont les gants de protection et les cache-pots que nous vendrons dès le début de la soirée », expliquait Muffy à Nora, Luke et Willy tandis qu'ils parcouraient les stands richement décorés dans le sous-sol de l'église. « Nous avons aussi des aquarelles de Branscombe peintes par nos artistes de l'Atelier familial. Cet atelier est un paradis pour tous nos retraités qui aiment peindre, et deux artistes professionnels y donnent bénévolement des cours deux fois par semaine. »

Nora examina attentivement l'exposition. « Ces œuvres sont charmantes. Plusieurs sont très réussies », dit-elle avec tact.

Luke, que ses goûts artistiques portaient davantage vers des peintres plus reconnus, fit mine de s'intéresser aux scènes d'intérieur. Willy se souvint qu'à l'école la sœur Jane avait déclaré que son affiche représentant un avion survolant un drapeau ressemblait à « un poisson volant enveloppé d'un chiffon ». C'était une vieille ronchon, pensa-t-il. Elle aurait trouvé des défauts à la *Joconde*. J'achèterai l'aquarelle de l'Auberge de Branscombe pour Alvirah, décida-t-il. Elle a toujours aimé avoir des souvenirs des endroits où elle a séjourné.

À propos, où diable était Alvirah ? Arriverait-elle jamais à déjeuner ? La faim l'avait poussée à manger des bretzels rassis dans l'avion, puis à dévorer les caramels qu'il avait achetés à l'épicerie. La veille, c'était la faim qui avait fini par la conduire à l'hôpital. Qui sait ce qui l'attendait aujourd'hui si elle avait à nouveau l'estomac creux ? Il fut tenté de lui téléphoner sur son portable, mais il savait qu'elle le rappellerait quand elle le jugerait bon.

Luke avait un jour rappelé à Willy ce vers de Milton : « Ils se rendent utiles, ceux qui restent à attendre et à patienter », suggérant que ce dicton s'appliquait parfaitement à eux deux. Willy, il s'en souvenait, avait demandé : « Milton qui ? »

« Ces dames ont fait un travail magnifique pour transformer ce sous-sol, n'est-ce pas ? demandait Muffy.

— C'est extrêmement plaisant, reconnut Nora. J'ai grandi dans une petite ville du

New Jersey, et l'atmosphère était très semblable à celle-ci. Tout le monde prêtait la main. Le jour où une nouvelle paroisse a été créée, les hommes ont réuni leurs efforts pour rénover une vieille grange et la transformer en une ravissante chapelle. »

« Un, deux, trois », lança une voix dans une salle attenante.

Comme un coup de tonnerre, un accord fut plaqué au piano, et un chœur entonna : « Décorons de houx la porte… »

« La chorale répète pour ce soir, expliqua Muffy. Ah, voilà Steve. »

Ils se retournèrent pour voir le maire de Branscombe descendre l'escalier. Que se passe-t-il ? se demanda Luke en observant le sourire forcé sur le visage de Steve et son rapide salut aux bénévoles du Festival tandis qu'il traversait la salle. « Je crois qu'il va falloir organiser d'autres recherches, dit-il, l'air tendu. L'amie de Duncan Graham, Fleur Bradley, est arrivée en ville ce matin pour lui faire une surprise et elle a disparu. Nous allons afficher sa photo dans toute la ville. Puis, nous fouillerons la forêt et nous sonnerons à toutes les portes pour nous enquérir auprès de chacun des habitants. Quelqu'un l'a sûrement vue. »

Nora fut frappée par l'expression de profonde inquiétude qui marquait le visage de Steve. « Vous ne nous dites pas tout, Steve. »

Il regarda autour de lui. Personne ne se trouvait à portée de voix. « Duncan a téléphoné à la mère de Fleur et appris un secret la concernant. Le jour de ses vingt-cinq ans – qui tombe le mois prochain – elle sera bénéficiaire d'un fonds qui vaut une fortune. Son arrière-grand-père était le fondateur de la Corn Bitsy Cereals. Sa mère redoute que quelqu'un l'ait suivie et enlevée afin de réclamer une rançon, mais elle voudrait que cela ne s'ébruite pas.

— Quel est le montant de ce fonds ?

— Plus de cent millions. »

« Sonnez, sonnez, joyeux carillons », chantait le chœur.

29

L'ex-mari de Glenda avait rendez-vous avec un journaliste et un cameraman de la chaîne de télévision BUZ devant la maison qu'il avait partagée avec Glenda pendant douze ans. Il ne s'était pas fait prier pour participer à la reconstitution de la scène au cours de laquelle ses vêtements avaient été abandonnés sur la pelouse dans des sacs-poubelle, puis écrasés par un camion de livraison. Glenda n'avait pas été invitée à cette reconstitution.

La chaîne lui ayant promis de remplacer la totalité de ses effets, Harvey avait apporté ceux qu'il avait achetés après que le juge eut décidé que Glenda avait agi avec intention de nuire. Comme on l'en avait prié, il avait fourré ses affaires dans deux sacs-poubelle.

« Vous trouvez qu'aujourd'hui on a mauvais temps ? » avait-il demandé en sortant de sa camionnette, tirant les sacs derrière lui. « Cette neige n'a rien à voir avec la pluie qui tombait ce jour-là. Torrentielle. Avec des rafales de vent. Glenda prétend qu'il ne pleuvait pas quand elle a déposé les sacs sur la pelouse devant la maison, mais laissez-moi rire. Inutile d'être un spécialiste de la météo pour se rendre compte que le ciel était sur le point de s'ouvrir en deux. »

Quel crétin, pensa le journaliste de BUZ, Ben Moscarella, en lui serrant la main. « Salut, Harvey. Vous avez dû en baver ce jour-là, hein ? Pourriez-vous laisser les sacs sur la pelouse ? Nous allons prendre une vue avec vos vêtements à moitié sortis.

— C'était particulièrement humiliant. Glenda n'avait pas le droit de traiter ainsi mes affaires », dit Harvey en posant les sacs sur le sol.

Il les dénoua, plongea la main à l'intérieur et arrangea les manches d'une de ses vestes préférées de façon à ce qu'elles débordent du sac.

« Parfait, Harvey, approuva Ben.

— J'avais offert une valise à Glenda pour son anniversaire, il y a quatre ans. Elle aurait pu se donner la peine de plier mes vêtements à l'intérieur. Je la lui aurais rendue. »

Tu parles, pensa Ben cyniquement. « Maintenant, Harvey, nous aimerions que vous alliez vous placer sur le perron de la maison et que vous nous racontiez le choc et la honte que vous avez éprouvés en arrivant en voiture et en apercevant tous vos effets éparpillés en travers de la route, trempés, salis, réduits en charpie sous les pneus du camion.

— Je n'oublierai jamais ce spectacle, aussi longtemps que je vivrai ! s'écria Harvey. Jamais ! J'en fais encore des cauchemars !

— Gardez ça pour le moment où la caméra tournera », lui recommanda Ben tandis qu'ils se dirigeaient vers la maison. « Nous passerons sous silence le fait que vous étiez en retard pour récupérer vos vêtements, Harvey. Ce n'est pas favorable à votre image.

— Je n'avais que cinq minutes de retard », protesta Harvey en s'arrêtant sur la dernière marche du perron.

« Je sais, je sais, mais ce n'est pas la peine d'y faire allusion. Vous n'êtes en rien responsable. Mais il se trouve que le public a une prédilection pour les victimes. Non seulement il les aime, mais il les encourage. Et il y a peu de victimes que le public plaindra plus volontiers que l'homme dont l'ex-épouse vient de toucher le gros lot à la loterie. »

Le visage d'Harvey se décomposa. « Je ne m'y ferai jamais.

— Tournez », fit rapidement Ben à l'adresse du cameraman. « Harvey, vous disiez que vous ne vous y feriez jamais ?

— Jamais !

— Diriez-vous que l'humiliation de voir vos vêtements éparpillés dans la rue vous a particulièrement déprimé ?

— J'étais furieux et déprimé, et trop fauché pour les remplacer. Grâce à Dieu, le juge a condamné Glenda à payer. J'étais au chômage depuis six mois quand nous nous sommes séparés. Je cherchais du boulot, puis un jour je suis allé dans un bar à filles et j'ai rencontré Penelope et... »

Ben l'interrompit :

« Harvey ! Personne n'a envie d'entendre que vous n'avez pas trouvé de job parce que vous étiez trop occupé avec votre petite amie. Ce n'est pas non plus l'image que nous voulons donner de vous.

— Vous voulez que je vous raconte le pire ? poursuivit Harvey. Juste après que le divorce a été prononcé, Penelope m'a laissé tomber. »

Le cameraman tapa sur l'épaule de Ben. « Il faut accélérer. En ce moment nous sommes censés filmer la vente de charité à l'église, et finir à temps pour prendre le Père Noël en train de grimper dans son traîneau.

— Je sais », dit Ben avec impatience, puis il se retourna vers Harvey : « Reprenons. Vous disiez qu'après douze ans de vie heureuse avec Glenda, vous avez divorcé, que vous avez été choqué en découvrant un aspect de sa personnalité mesquin et vindicatif.

— Vindicatif ?

— Elle n'était pas gentille avec vous. »

Harvey s'éclaircit la voix : « Glenda avait vingt ans et moi vingt-quatre lorsque nous nous sommes mariés, commença-t-il. Ce n'était pas Marilyn Monroe, mais je pensais que c'était une gentille fille. J'avais tort.

— Coupez ! gronda Ben, exaspéré. Harvey, comprenez-moi bien. Si vous commencez par critiquer le physique de votre ex, toutes les femmes qui vous regardent vont vous détester sur-le-champ. Racontez plutôt combien vous étiez amoureux d'elle.

— Je l'aimais, dit Harvey docilement. Je l'aime toujours. Glenda est toujours la femme de ma vie. »

Continue comme ça, implora Ben.

« Je l'ai suppliée, je voulais que nous nous réconciliions, poursuivit Harvey, se prenant au jeu. Elle n'a rien voulu entendre et nous avons divorcé. Glenda a eu la maison, ce qui m'a paru très injuste, mais nous avions repris une hypothèque et il ne restait pas beaucoup de capital, si vous voyez ce que je veux dire. »

Ben le coupa à nouveau :

« Harvey, racontez-nous ce qui est arrivé le jour où vous vous êtes avancé dans l'allée pour récupérer vos vêtements. »

Harvey hocha la tête. D'un geste théâtral, il désigna la porte d'entrée. « C'était franchement pas sympa de la part de Glenda de changer les serrures des portes aussi vite. Je n'avais pas eu le temps d'emporter toutes mes affaires. Nous nous étions mis d'accord pour qu'elle les dépose sur la pelouse. » Il s'avança et montra les sacs. « Ils ont dû rester là à peine deux minutes avant que l'orage éclate », dit-il, clignant les yeux sous la neige qui lui cinglait le visage.

« C'est bon, Harvey, dit Ben. Maintenant, notre camion va passer sur vos vêtements. »

Cinq minutes plus tard Harvey se tenait au bord de la route, le regard fixé sur la chaussée, les yeux pleins de larmes. « Je n'arrive pas à croire que cette femme, avec qui j'ai partagé douze années de ma vie, ait pu me faire ça », disait-il, le doigt pointé sur ses chemises, ses pantalons, ses pulls, ses chaussettes et ses caleçons trempés. « J'ai été littéralement détruit quand j'ai découvert ce désastre. Plus détruit que mes vêtements. »

Ben fit un geste du bras et le camion roula à nouveau sur la garde-robe d'Harvey.

« Coupez ! dit-il. C'est bon ! »

30

Avant que Duncan n'appelle la mère de Fleur, ils firent le tour des boutiques de Main Street, au cas où la jeune fille se serait arrêtée dans l'une d'elles. Ils allèrent même dans l'unique salle de cinéma, espérant qu'elle serait allée voir un film en attendant de le retrouver.

Personne ne l'avait vue.

Ils appelèrent ensuite l'Auberge de Branscombe et les deux maisons d'hôtes de la ville, le Refuge et le Clocher. Fleur n'était enregistrée nulle part. C'est alors que Duncan s'était résigné à appeler les parents. La mère, Margo Bradley, qu'il n'avait jamais rencontrée, se montra étonnée de l'entendre.

« Oh, Duncan, bonsoir. J'ai en vain essayé d'appeler Fleur, son téléphone est coupé et sa boîte mail est pleine. Que se passe-t-il ? »

Le cœur lourd, Duncan l'avait mise au courant de la situation.

« C’est ce que j’ai toujours redouté ! s’était écriée Margo.

— Pourquoi ?

— Fleur est l’héritière de la société Corn Bitsy Cereals. Dès sa naissance, j’ai eu peur qu’on la kidnappe.

— Une *héritière* ? » Duncan était sidéré. « Je n’aurais jamais pu l’imaginer !

— C’était son souhait, avait expliqué Margo. Elle voulait rencontrer quelqu’un qui l’aimerait pour elle-même.

— Je l’ai aimée dès la première minute, avait dit Duncan. Je suis seulement surpris, car lorsqu’elle parlait de son enfance, elle me semblait semblable à la mienne.

— Nous vivons simplement, avait dit Margo. Son père et moi n’avons jamais été intéressés par l’argent. J’ai eu la disposition de mon propre fonds à l’âge de dix-huit ans et, durant les cinq années suivantes, j’ai consacré la plus grande partie de ces revenus à des causes que nous soutenions, prêtant de l’argent à qui nous en demandait. C’est pourquoi Fleur ne peut pas disposer de son fonds avant l’âge de vingt-cinq ans. Notre famille évite la publicité, mais les gens savent que nous avons de l’argent. Je crains que, l’échéance approchant, quelqu’un ait décidé de la prendre pour cible.

— Madame Bradley, cela n'a peut-être rien à voir avec la fortune familiale. J'ai gagné douze millions de dollars à la loterie hier soir, et on en a énormément parlé dans les médias. C'est peut-être à cause de moi qu'elle a été prise pour cible. »

Margo avait étouffé un cri. « Je savais qu'elle n'aurait pas dû traverser le continent pour aller retrouver un homme dont elle ignorait tout.

— J'aime Fleur, avait protesté Duncan. Et je ne permettrai pas qu'il lui arrive quelque chose. Je vous le promets. Je la retrouverai.

— Ne mentionnez pas en public qu'elle est sur le point de disposer de cet argent. Si Fleur n'est pas en danger mais simplement partie quelque part, ne donnons pas à un détraqué l'idée de tenter de la retrouver pour son propre compte. »

En raccrochant, Duncan s'était senti profondément troublé.

« Duncan, dit Jack, nous devons informer le maire que Fleur a disparu et qu'il est urgent d'alerter la police. Il faudra aussi lui expliquer pourquoi nous estimons que la situation est sérieuse. Sinon il va se demander pour quelle raison ils sont supposés rechercher une jeune femme de vingt-quatre ans dont on n'a plus de nouvelles depuis quelques heures à peine. »

Pendant que Jack appelait Steve, Alvirah se rappela l'époque où Willy avait été enlevé par des malfaiteurs qui exigeaient une rançon. Elle avait réussi à se faire engager comme femme de chambre dans un hôtel minable où il était détenu. Les criminels qui l'avaient kidnappé avaient projeté de le tuer une fois la rançon payée, se souvint-elle. Grâce à Dieu j'ai réussi à le sauver. Où pouvait se trouver Fleur ? La bague qui lui était destinée était dans le sac d'Alvirah. Avait-elle un rapport avec sa disparition ?

Il faut que je parle à l'homme qui a trouvé cette bague et l'a apportée à la bijouterie, décida-t-elle.

31

Enfermés dans le sous-sol du Refuge, Woodrow et Edmund étaient affalés sur un vieux canapé poussiéreux et bosselé qui sentait le moisi. Une ampoule unique pendait au plafond. Frigorifiés malgré les deux couvertures que leur avait données Betty, ils s'inquiétaient du plan concocté par elle et Jed pour se débarrasser de Fleur.

La tête enfouie entre ses deux mains, Edmund gémit : « Je crains le pire, Woodrow !

— Calme-toi, mon vieux. Je suis déjà suffisamment angoissé comme ça. En plus, j'ai l'estomac barbouillé. Je n'aurais pas dû manger tous ces bonbons.

— Écoute, je me fiche de tes maux de ventre. Nous ne pouvons pas nous rendre complices d'un meurtre. Tu as vu l'expression de cette pauvre fille lorsque nous l'avons attachée et laissée là-bas ? Elle est terrifiée, et ce n'est qu'une gosse.

— Tu sais ce qu'il nous reste à faire ? » demanda Woodrow avec irritation, crachant littéralement chacun de ses mots. « Nous n'avons pas le choix, on oublie le billet de loterie et on quitte la ville la semaine prochaine comme prévu, dès la fin de notre dernier cours. Nous n'aurons pas le fric, mais nous ne serons pas arrêtés pour meurtre.

— Sauf si nous n'essayons pas d'empêcher Betty et Jed de la tuer. Avec ou sans nous, ils ne la laisseront pas en vie, mieux vaut être réalistes. » Edmund avala difficilement sa salive et passa ses doigts dans ses cheveux clairsemés. « Si seulement nous avions hérité d'un peu d'argent. Nous ne nous sommes jamais montrés tellement gourmands avec nos escroqueries. Je crois que nous n'avons pris de l'argent qu'à ceux qui pouvaient en perdre un peu.

— Tu plaisantes. Et Duncan ? Lui, nous l'avons bel et bien plumé. »

Ils entendaient le plancher craquer en haut, sous les pas de Betty qui allait de la cuisine au salon, s'affairant à l'heure du thé. « Jed », l'entendirent-ils s'écrier avec impatience. « Tu as oublié les confitures sur la table quatre. »

« C'est une atroce mégère », dit Edmund d'une voix tremblante. « Que va-t-il nous arriver, Woodrow ? Nous ne pouvons laisser mourir cette gosse. Nous sommes des individus peu recommandables, c'est vrai, mais nous ne sommes pas des tueurs. Ces deux-là » – il désigna le plafond – « n'ont pas d'états d'âme. En prison le bruit courait que Jed s'en était bien tiré et qu'il avait des trucs autrement sérieux à son actif. Il s'est fait prendre comme un bleu en train de braquer une banque.

— Qu'est-ce que tu proposes ?

— On fait sortir la fille d'ici, et ensuite on prend contact avec Duncan. Elle pourra témoigner que nous lui avons sauvé la vie. S'il ne nous rend pas notre billet, il ne nous restera plus qu'à mettre les voiles. »

Woodrow resta silencieux un instant. « Comment peux-tu être aussi stupide, Edmund ? Betty et Jed ne nous permettront jamais de sortir d'ici vivants avec cette fille. Je suis prêt à parier qu'ils ont planqué des armes sous les moules à gâteaux de Betty. S'ils se sentent menacés, ils n'hésiteront pas à les utiliser.

— Alors, tentons le coup pendant qu'ils sont occupés à servir le thé.

— Tu imagines que la fille viendra de son plein gré ? Ça m'étonnerait.

— Crois-moi, Woodrow, elle nous fera davantage confiance qu'à Betty. Si j'étais à sa place, je préférerais partir avec nous plutôt que de rester ici avec ces deux-là.

— Et si nous lui sauvons la vie, le moins que Duncan pourra faire sera de nous rendre ce qui nous appartient, dit pensivement Woodrow. “Une bonne action en appelle une autre”, disait tante Millie. »

Edmund fit claquer ses doigts. « J’ai une idée ! Mettons tante Millie dans le coup.

— Comment ?

— En la chargeant de récupérer le billet auprès de Duncan. Elle sera hors d’elle si elle apprend que nous avons laissé échapper cent soixante millions de dollars. Nous lui expliquerons que nous avons fait une petite erreur avec le puits de pétrole, mais que nous avons l’intention de rembourser tout le monde. Pas besoin de la mettre au courant de l’existence de Fleur. Nous lui dirons simplement d’expliquer à Duncan que, s’il ne lui rend pas le billet de loterie qu’elle a acheté à l’épicerie quand elle est venue nous rendre visite, elle en sera personnellement très affectée. Et que ses neveux ne souhaitent pas qu’elle ou quelqu’un d’autre soit affecté. À moins d’être idiot, Duncan comprendra le message.

— Il est idiot.

— Mettons. Je pense quand même que ça pourrait marcher. Il faut que tante

Millie ignore l'existence de Fleur. Nous allons déguerpir d'ici avec Fleur, dans la camionnette de Jed, mettre le cap sur le Canada. J'ai vu les clés de Jed accrochées dans la remise. Personne ne s'intéressera à sa camionnette – il n'osera pas déclarer sa disparition. Si Duncan accepte de donner le billet à Millie, nous conseillerons à la chère tante de louer une bagnole et de se rendre fissa à Branscombe. Elle devrait y être vers dix heures. Dès que nous saurons que le billet est dans ses jolies petites mains, nous relâcherons Fleur.

— Et si on nous chope, ce sera réconfortant de savoir qu'il y aura de l'argent dans la famille le jour où nous sortirons de prison, dit Woodrow d'un air lugubre.

— À condition qu'elle ne dépense pas tout avant. »

Woodrow haussa les épaules, désabusé. « Nous aurons la consolation d'avoir bien agi en sauvant la vie de Fleur.

— Appelons tante Millie sans tarder, dit Edmund. Je veux faire sortir cette pauvre gosse de cet endroit de malheur. »

Tante Millie répondit à la première sonnerie.

« Woodrow, que me vaut cet honneur ? demanda-t-elle d'un ton sec. C'est toujours un plaisir de t'entendre, mais tu m'appelles rarement sans raison.

— Edmund et moi voulions seulement avoir de tes nouvelles, répondit Woodrow d'un ton innocent. Comment vas-tu ?

— Je m'ennuie à mourir. Je ne peux pas retourner au casino avant de toucher le chèque de ma pension. L'existence est un calvaire quand on manque d'argent. Alors, qu'est-ce que tu veux ?

— Nous avons de mauvaises et de bonnes nouvelles.

— Accouche.

— Nous avons joué à la loterie et gagné cent soixante millions.

— Quoi ! Je n'y crois pas ! Et quelle pourrait être la mauvaise nouvelle après ça ?

— Nous étions en train de monter une petite escroquerie et...

— Les leçons ne vous serviront donc jamais à rien, ni à l'un ni à l'autre.

— Écoute, on a été assez malins pour gagner à la loterie.

— C'est vrai.

— Mais quelqu'un a volé le billet dans notre congélateur et nous voudrions que tu le récupères. Nous ne pouvons pas le faire nous-mêmes parce que le voleur, un dénommé Duncan, sait que nous lui avons vendu des actions d'un puits de pétrole bidon.

— Vous me donnez le tournis avec votre histoire. Pour quelle raison accepterait-il de me le rendre ? »

Woodrow hésita. « Il y a deux billets gagnants et il possède déjà un cinquième du premier, il va toucher douze millions. Mais il a dérobé le second billet en sachant qu'il nous appartenait. Nous voulons simplement le convaincre que c'est toi qui en es la propriétaire. Et nous voulons qu'il ait peur d'avoir des ennuis s'il ne te le rend pas. Tu piges ?

— C'est une idée formidable. Fais-moi confiance. Quel est le numéro de ce Duncan ? »

Woodrow referma son portable et se tourna vers son cousin. « C'est une chance de l'avoir, dit-il. Même si elle se montre un peu gourmande et réclame un tiers.

— Deux tiers d'un pain valent mieux que pas de pain du tout, répliqua Edmund. Maintenant, tirons-nous d'ici. »

32

« Qu'est-ce que vous fabriquez ? » demanda Betty brutalement en redressant la chaise de Fleur. « Vous cherchez à attirer l'attention, hein ? Je vous le déconseille. Vous serez peut-être contente d'apprendre qu'on a téléphoné pour demander si vous aviez pris une chambre ici. Votre petit copain n'avait peut-être pas décidé de vous laisser tomber après tout. »

Betty ouvrit le tiroir du bureau et en sortit un épais rouleau de ruban adhésif noir. Elle approcha la chaise du meuble et l'y attacha solidement. Plongeant son regard dans les yeux terrifiés de Fleur, elle dit : « Dans votre propre intérêt, ne vous avisez pas de recommencer. » Puis elle sortit un torchon de la grande poche de son tablier et banda les yeux de sa prisonnière. « Il n'y a rien à voir », fit-elle d'une voix mauvaise. « Il faut que je retourne servir le thé. »

Elle va me tuer, se dit Fleur, tandis que la porte coulissante se refermait. C'est la fin. Elle tira désespérément sur ses liens.

Quelques minutes plus tard la porte s'ouvrit à nouveau. Oh, mon Dieu ! pensa-t-elle, c'est pour maintenant.

Puis la voix de l'un des hommes qui l'avaient attachée précédemment dit doucement : « N'ayez pas peur, Fleur. Nous allons vous délivrer. Tout ce que nous voulons, c'est récupérer notre billet auprès de votre petit ami. Ces deux-là ont l'intention de vous tuer, mais nous ne les laisserons pas faire.

— Ah, comme ça vous ne nous laisserez pas faire ! hurla la voix hargneuse de Betty.

— Hein ? » s'exclama l'homme d'un ton affolé.

Quelques secondes plus tard, Fleur entendit un bruit sourd tandis que le corps d'Edmund heurtait le sol de ciment.

33

« Steve voudrait que nous apportions la photo de Fleur à la vente de charité de l'église, dit Jack. Nous pourrons la faire photocopier sur place et la montrer à un maximum de gens. C'est un bon point de départ. »

Duncan était plongé dans ses pensées et s'inquiétait. Les routes sont de plus en plus glissantes, et il fera bientôt nuit noire. Comment en sommes-nous arrivés là ? Comment ? Si seulement j'étais resté à la maison hier soir.

C'est le calme avant la tempête, pensa Alvirah. Les rues sont désertes, tout le monde est sans doute rassemblé sur la grand-place pour la cérémonie aux chandelles et l'arrivée du Père Noël. Elle vit alors que le parking de l'église était presque complet. Jack s'arrêta devant la porte de l'édifice. Glenda et Regan se précipitèrent pour aider Duncan qui essayait de descendre de voiture, s'appuyant tant bien que mal sur ses béquilles.

« Jack, je vais rester avec vous pendant que vous cherchez une place, dit Alvirah.

— C'est inutile, Alvirah.

— Je vous en prie, Jack, allons garer la voiture. Je dois passer un coup de fil. »

Lorsque Regan referma la portière, Alvirah dit : « Jack, je ne voulais pas aborder le sujet devant Duncan. Je veux en savoir plus sur cet homme qui a trouvé la bague. Il est possible que la dame de compagnie qui a peut-être tué Kitty, l'amie de Mme O'Keefe, se trouve quelque part dans les environs. Et il est possible aussi, même s'il n'y a qu'une chance sur un million, que Fleur l'ait rencontrée. Si cette horrible bonne femme est ici, je suis convaincue qu'elle est au courant de l'histoire de la loterie.

— En tout cas, mieux vaut s'en assurer, reconnut Jack. Cette bague n'est pas arrivée à Branscombe par l'opération du Saint-Esprit. »

Mais Rufus Blackstone ne décrochait toujours pas son téléphone. « Pourquoi n'a-t-il pas de répondeur ? grommela Alvirah. À notre époque… Essayons Mme O'Keefe. Je veux savoir si elle se souvient de la dame de compagnie de son amie. Elle doit être furieuse contre moi et va me reprocher d'être restée sans lui donner de nouvelles.

— Personne ne pourrait vous en vouloir très longtemps, Alvirah », dit Jack amicalement en se garant dans un emplacement du parking.

Alvirah composa l'indicatif. « Je n'oublie jamais un seul numéro de téléphone, se vanta-t-elle. En particulier celui de Bridget O'Keefe. Il ne se passait pas un jour sans qu'elle m'appelle pour me demander si j'avais vu ses lunettes ou ses clés ou son agenda... Allô, Bridget ? Alvirah Meehan à l'appareil... » Elle rit. « Non, je passe encore entre les portes. Je serais heureuse de déjeuner avec vous un de ces jours... mais il vient de m'arriver quelque chose de très étrange. Je me trouve dans une petite ville du New Hampshire, et figurez-vous que j'ai vu la bague de Kitty dans la vitrine d'un bijoutier. Je suis absolument certaine que c'est la sienne. »

À l'autre bout de la ligne, l'ancienne patronne d'Alvirah étouffa une exclamation. « C'est curieux, je pensais justement à cette bague l'autre jour. Comment a-t-elle pu atterrir chez ce bijoutier ?

— C'est quelqu'un d'ici qui l'a trouvée. J'essaye en vain de le joindre. Je voulais savoir si vous vous souveniez de la dame de compagnie de Kitty ? Je ne l'ai vue qu'une fois d'assez loin. »

Mme O'Keefe, qui était en train de regarder l'un de ses feuilletons préférés quand le téléphone avait retenti, baissa le son de la télévision. « J'ai toujours eu d'affreux remords à l'égard de Kitty. Cette femme s'est montrée charmante au début, puis elle s'est mise à exercer une sorte d'emprise sur elle et à lui voler son argent.

— Je me souviens que vous vous en inquiétiez. Mais à quoi ressemblait-elle ?

— Elle avait un de ces visages ronds qui affichent en permanence un sourire mielleux. Des cheveux châtains. De taille moyenne, mais solidement charpentée. Elle prétendait agir pour le bien de Kitty, voulait soi-disant qu'elle prenne du poids. Ce qui avait le don d'exaspérer ma pauvre amie qui se plaignait de voir sa dame de compagnie passer son temps à la cuisine à confectionner des gâteaux et des biscuits, dont elle mangeait la plus grande partie elle-même. Songer qu'elle s'en est tirée après avoir non seulement dépouillé cette pauvre Kitty, mais l'avoir probablement poussée dans l'escalier. Car nous sommes convaincues, vous et moi, que c'est elle la coupable. Alvirah, si vous la retrouvez, j'aimerais pouvoir lui dire son fait.

— Bridget, rien ne me réjouirait autant. Kitty était une femme exquise. Je vous rappellerai dès que je serai de retour à New York. Et que j'aurai la bague. Tant que son neveu ne s'y oppose pas, elle est à vous. J'ai souvent entendu Kitty dire qu'elle voulait que vous la portiez.

— Oh, Alvirah, vous êtes trop bonne. La bague ne nous ramènera pas Kitty, mais je me sentirai proche d'elle d'une certaine façon. »

Alvirah lui dit au revoir et éteignit son portable. « Voilà qui ne nous est pas d'une grande aide, reconnut-elle à regret. Nous avons appris que la dame de compagnie aimait faire des gâteaux. Ce qui me fait penser que j'ai faim. » Elle chercha dans son sac un caramel au chocolat. « Jack, en voulez-vous un ?

— Volontiers », dit-il. Ôtant la papillote rouge et verte, il demanda : « Alvirah, comment va votre tête ? »

Elle ouvrit la portière. « Je me poserai la question lorsque nous aurons retrouvé Fleur. »

Jack la prit par le bras pour traverser le parking. Une fois dans l'église, ils descendirent au sous-sol, qu'ils trouvèrent gaiement décoré et bruissant d'un joyeux brouhaha. On entendait la chorale répéter dans une pièce voisine : « Une perdrix dans un poirier, deux colombes, trois poules françaises, quatre oiseaux noirs... »

Alvirah se tourna vers Jack. « *Cinq anneaux d'or* », fredonna-t-elle à son tour d'une voix fausse.

« Jack ! »

Regan se précipitait vers eux.

« Duncan vient de recevoir un coup de téléphone de la tante des Winthrop. Elle lui conseille de ne pas encaisser l'argent du billet. Il lui appartient, et elle veut le récupérer, sinon elle dit qu'elle se sentira personnellement affectée.

— Affectée ? répéta Jack.

— C'est le mot qu'elle a employé. Duncan est persuadé qu'il s'agit d'une menace et que ces types détiennent Fleur, mais la tante a raccroché sans lui laisser le temps de l'interroger.

— Comment est-il censé lui remettre le billet ? demanda Alvirah.

— Elle rappellera. Duncan sait que ce n'est pas elle qui a acheté le billet, mais ça lui est égal. Il est décidé à le lui remettre, de toute façon. »

Le cœur d'Alvirah se serra. Elle avait espéré, sans y croire, que Fleur était simplement partie skier pour la journée avec l'intention de réapparaître le soir. En général, ces histoires de kidnapping finissent mal. Les ravisseurs sont pris de panique, et alors...

Elle savait que Regan et Jack partageaient les mêmes craintes.

34

« Tu n'es qu'un sale faux jeton ! » cria Betty à Edmund, en lui portant un coup du plat de la main sur la nuque qui l'envoya dinguer. Étourdi, il tenta de se remettre debout.

« Inutile », dit Jed tranquillement depuis la porte en pointant un pistolet sur lui. « Betty, ligote-le.

— Qu'est-ce que tu crois que j'allais faire ? » rétorqua-t-elle impatiemment en saisissant le rouleau d'adhésif. « Je n'ai pas une minute à perdre. Il faut que je retourne en haut. Ils vont dévorer tous mes scones. »

Avec des gestes vifs, elle immobilisa les mains d'Edmund derrière son dos et enroula le ruban adhésif autour de ses jambes.

Ils entendirent la porte extérieure de la remise s'ouvrir et se refermer. « Voilà police secours ! » bougonna Jed.

Alors que Betty s'apprêtait à le bâillonner, Edmund cria : « Woodrow, casse-toi ! »

Trop tard.

Un moment plus tard, Jed escortait Woodrow dans son bureau, le canon de son pistolet pointé vers son oreille. « Il va falloir que tu m'accompagnes au pas du Diable, Betty. Nous avons maintenant trois personnes inscrites pour le plongeon de ce soir.

— De quoi parles-tu, Jed ? demanda Woodrow d'une voix tremblante.

— Ton cher cousin a dit que vous vouliez aider cette petite à partir. Ce n'était pas très gentil envers Betty et moi, me semble-t-il ?

— Nous n'avions pas l'intention de la relâcher.

— Alors quels étaient vos plans ? » demanda Betty en lui tirant les bras en arrière pour les attacher dans son dos.

Woodrow réfléchit. « Il y a une solution. Quand nous encaisserons le gros lot, nous nous contenterons de dix pour cent. Le reste sera pour vous.

— Il faudra aussi ajouter quelques puits de pétrole, lui rétorqua Betty. J'en ai assez de vos bobards. »

Elle lui fourra un chiffon dans la bouche.

Cinq minutes plus tard, les trois prisonniers dûment ligotés et bâillonnés, Betty regagna le salon.

Rhoda Conklin et Tishie Thornton s'entretenaient avec animation avec deux femmes assises à une table voisine.

« Ils ont exposé la bague dans la vitrine de Pettie, le bijoutier », disait Tishie à ses auditrices, visiblement fascinées par l'histoire. « Duncan était fou de rage.

— Une fille est venue ce matin au magasin, elle semblait être à sa recherche, ajouta Rhoda. Mais ça m'étonnerait que ce soit sa petite amie. Elle a eu l'air stupéfait quand je lui ai dit qu'il avait quitté son job parce qu'il avait gagné à la loterie. »

Une des femmes fit un geste évasif de la main. « C'était peut-être une femme qui avait appris qu'il avait gagné et cherchait à faire sa connaissance.

— Mais qui irait se pointer à son boulot après avoir gagné douze millions de dollars la veille ? » demanda l'autre femme. Elle rit. « Hein, Rhoda ?

— Je me fiche comme d'une guigne de savoir qui vient ou ne vient pas travailler », répondit Rhoda d'un ton agressif. « Ni qui est la petite amie de Duncan. »

Elles ne sont pas encore au courant de la disparition de Fleur, pensa Betty avec soulagement en débarrassant une table voisine. Il faudra qu'elle et les deux autres aient quitté les lieux à la nuit tombée. Rhoda l'aperçut et lui fit signe. « Pouvez-vous nous apporter l'addition ? Je me demandais où vous étiez passée. Nous aurions aimé prendre une autre tasse de thé, mais il est trop tard maintenant. Je suis même allée vous chercher à la cuisine. »

Betty s'inquiéta.

J'espère qu'elle n'est pas entrée dans la buanderie. Et qu'elle n'a pas vu le sac de Fleur que j'ai caché derrière la corbeille à linge. « Je suis désolée, dit-elle avec un sourire. Nous avons été tellement occupés avec le Festival. Je n'ai pas eu une minute.

— Au diable ce festival ! dit Tishie. C'est un attrape-gogos.

— Oui, un attrape-gogos », renchérit Rhoda en cherchant son sac. « C'est moi qui t'invite, Tishie. Merci d'être passée me prendre. Sitôt que j'ai mis le pied dehors, j'ai su que je n'arriverais pas à faire la route par un temps pareil. Dieu merci, je retourne à Boston demain. »

Dieu merci, en effet, pensa Betty.

35

Le billet enfin en sécurité dans un coffre de la seule banque de Branscombe, Ralph, Tommy et Marion convinrent de se retrouver à la cérémonie aux chandelles. Ralph et Judy avaient regagné leur voiture ; Tommy, suivi de près par ses parents, s'était installé derrière le volant de leur vieille berline et Marion était rentrée seule chez elle sous la neige.

Une fois à l'intérieur, elle déposa ses clés sur le comptoir de la cuisine et alla dans sa chambre. Je vais me mettre à l'aise, me préparer une tasse de thé et me reposer un peu. Je n'ai pratiquement pas fermé l'œil la nuit dernière, mais je suis trop énervée pour dormir maintenant.

Puis, sans raison apparente, elle éclata en sanglots. Prenant un mouchoir dans sa commode, elle se tamponna les yeux. Je me sens si seule, pensa-t-elle. C'est merveilleux d'être riche, mais je vais regretter de ne plus voir mes amis tous les jours, les gens avec qui je travaillais – à part la Mouffette – et nos clients. Qu'est-ce que je vais faire de ma journée quand je me réveillerai le matin ?

Elle enfila sa robe de chambre, noua la ceinture et se reprit. Des milliers de gens donneraient n'importe quoi pour être à ma place en ce moment, se raisonna-t-elle. Mais si seulement Gus était encore en vie ! Nous ferions des projets de voyages. Elle se souvenait des photos de pingouins qu'un client de Conklin's Market lui avait montrées un jour, des photos qu'il avait prises durant une croisière dans l'Antarctique. Gus et moi aurions sans doute opté pour des pays plus chauds, décida Marion.

Dans la cuisine, elle alluma la bouilloire, sortit du placard une tasse et un sachet de thé. Je devrais appeler Glenda, songea-t-elle. Elle consulta la liste de numéros collée sur le côté du réfrigérateur et composa celui de son amie. Quand celle-ci décrocha, Marion entendit un brouhaha autour d'elle. « Glenda, ça y est, nous avons déposé le billet, lui annonça-t-elle. Comment va Duncan ?

— Pas très bien, répondit vivement Glenda. Sa petite amie a disparu.

— Qu'est-ce que tu dis ? »

Glenda la mit au courant. « Je suis à la vente de charité de l'église. Nous sommes en train de montrer la photo de Fleur à tous les gens qui passent. Par-dessus le marché, nous sommes allés récupérer la bague en forme de fleur à la bijouterie et appris qu'elle a été volée il y a huit ans.

— La bague de Fleur est un bijou volé ?

— En fait, ce que je te disais, Marion, c'est que la bague achetée par Duncan a une forme de fleur, et... Excuse-moi, je ne peux pas te parler maintenant.

— J'aimerais pouvoir faire quelque chose ! s'écria Marion.

— On ne peut quand même pas te demander d'aller sonner aux portes sous la neige.

— Glenda, je t'en prie, ne me traite pas comme une empotée ! N'oublie pas que jusqu'à ce matin, j'étais debout toute la journée, à vendre des gâteaux.

— Je sais de quoi tu es capable. Je vais demander qu'on t'envoie la photo de Fleur sur ton ordinateur. Va au supermarché, poste-toi à l'intérieur et montre-la à tous les gens qui entrent. Peut-être quelqu'un l'a-t-il vue.

— Chez Conklin ? demanda Marion d'un ton hésitant.

— Oh, tu n’es pas au courant ? La Mouffette est partie pour de bon. Sam et elle se sont brouillés ce matin. Il est ravi.

— Envoie-moi cette photo le plus vite possible. C’est comme si j’y étais déjà. »

Marion raccrocha. Une bague en forme de fleur, pensa-t-elle en se précipitant dans sa chambre. J’ai vu quelqu’un en porter une, j’en suis sûre.

Mais qui ?

Et où ?

36

Betty emporta le dernier plateau de tasses et d'assiettes à gâteaux dans la cuisine. Elle le posa près de l'évier et, d'un pas lourd, se dirigea vers la porte de la buanderie.

« Où vas-tu ? demanda Jed.

— Vérifier que personne ne peut voir ce maudit sac. Rhoda Conklin est entrée dans la cuisine pendant que nous étions dans la remise. Elle a vu Fleur ce matin au supermarché et elle peut avoir remarqué le sac qu'elle portait. » Betty aperçut un bout de la toile bordeaux qui dépassait de la corbeille à linge. « On le voit à peine, mais assez pour attirer l'attention. Si le slogan FLOWER POWER avait été visible, nous serions cuits. » Elle ramassa le sac et le lança à Jed. « Amène la camionnette près de la remise et cache ça à l'intérieur. Il nous reste peu de temps pour les faire monter tous les trois dans la voiture et quitter les lieux.

— Il ne fait pas encore nuit, Betty.

— Jed, ne sois pas stupide. Rhoda Conklin et cette commère de Tishie Thornston étaient là voilà à peine quelques minutes à parler de Fleur avec d'autres femmes. Elles ignorent pour l'instant qu'elle a disparu, mais tu peux être sûr que la nouvelle va se répandre rapidement. Quelqu'un a téléphoné pour savoir si elle était descendue chez nous. Nous ne pouvons courir le risque de voir la police débarquer et fourrer son nez partout. Ils n'ont pas besoin d'un mandat de perquisition pour faire le tour de la maison et voir la voiture des Winthrop garée derrière. Laisse-moi te rappeler une chose – Woodrow et Edmund nous ont laissé entendre qu'ils étaient probablement recherchés par les flics.

— Ne parle pas si fort, dit Jed. Il y a peut-être quelqu'un en haut.

— Il n'y a personne en haut. Tout le monde est au Festival, y compris les reporters de la télévision.

— Betty, attendons que la nuit soit tombée, dit Jed fermement. Il suffit de patienter une demi-heure.

— Alors va sortir la camionnette et reste avec eux dans la remise jusqu'à ce que nous partions. La fille est maligne. Elle avait déjà imaginé un moyen d'attirer l'attention. Quelqu'un aurait pu l'entendre frapper contre le mur si je ne l'avais pas arrêtée.

— Tu l'as arrêtée, d'accord. Mais n'oublie pas que c'est *ta* faute. Tu aurais dû t'y prendre autrement quand les Winthrop se sont pointés.

— Et tu n'aurais jamais dû te lier avec eux en prison ! » Nerveusement, Betty commença à rincer les tasses. « Jed, dès que nous nous en serons débarrassés, nous ferions mieux d'aller nous installer ailleurs, et vite. Les questions ne tarderont pas à fuser quand Fleur ne réapparaîtra pas, sans parler des deux autres. En creusant un peu, on découvrira sans peine que les vrais Jed et Betty sont morts dans un accident d'autocar en Allemagne il y a six ans. »

37

« Duncan, vous avez peut-être vu juste en percevant une menace dans l'appel de cette femme. Il est possible que ces types détiennent Fleur, dit Jack sans détour.

— Allons plutôt discuter dans le bureau, suggéra Steve Patton. C'est la porte dans l'angle, un peu plus loin. »

Muffy, les Reilly, Alvirah, Willy, Glenda et Duncan le suivirent et Jack referma la porte derrière eux.

« Ils ont kidnappé Fleur, j'en suis sûr et certain, déclara Duncan dès qu'ils furent seuls entre eux. Je vais donc remettre le billet à cette femme. Mais pourquoi a-t-elle raccroché ? Je n'ai pas dit que je refusais sa proposition.

— Elle vous mène en bateau, Duncan, dit Regan. Elle sait parfaitement ce qu'elle fait. »

Duncan désigna la fenêtre. « La nuit va tomber. Je ne peux pas rester assis à attendre qu'elle rappelle. Partons tout de suite à la recherche de Fleur. Cela va vous paraître insensé, mais j'ai le sentiment qu'elle me supplie de la délivrer avant qu'il soit trop tard.

— Nous la délivrerons, Duncan, dit Jack. Mais nous ne pouvons pas considérer officiellement qu'il s'agit d'un enlèvement. Pas encore. Vous avez dérobé le billet que ces hommes ont acheté, et ils veulent le récupérer. La disparition de Fleur pourrait n'être qu'une coïncidence. Quelqu'un d'autre pourrait en être responsable, maintenant que nous savons qu'elle est héritière d'une grosse fortune. L'élément réconfortant est qu'elle est adulte, et que le contact n'a été rompu que depuis peu. Elle a tenté de vous joindre à plusieurs reprises dans la matinée. Si ça se trouve elle va réapparaître au beau milieu de la vente de charité.

— Sûrement pas », dit Duncan d'un ton sans réplique. « Je sais qu'elle est retenue quelque part et je sais qu'elle a besoin de mon aide.

— Dans ce cas, agissons sans plus attendre, décréta Regan. Steve, pouvons-nous utiliser une de ces machines pour dupliquer la photo de Fleur ?

— Bien sûr.

— C'est ici que nous avons préparé les mailings du Festival, dit Muffy. Il suffit de scanner la photo dans l'ordinateur et d'en tirer des copies. Nous pouvons ainsi bombarder la population d'e-mails. Nous avons presque toutes les adresses des habitants de la ville. Je vais envoyer un message d'alerte, avec la photo de Fleur et sa description en pièces jointes.

— Très bien ! dit Regan.

— J'ai promis à Marion de lui faire parvenir la photo de Fleur, dit Glenda. Elle va se poster à l'entrée de Conklin's Market et la montrer à tous les clients du magasin.

— De mon côté, je vais prévenir le chef de la police, dit Steve. Nous réservons quelques numéros de téléphone pour les appels urgents. Il m'en communiquera un que nous diffuserons afin que les gens puissent l'utiliser si besoin est. »

Duncan tenait toujours à la main la photo de Fleur que Glenda lui avait remise après qu'ils eurent sonné en vain à toutes les portes de Main Street. Il la détacha soigneusement de son cadre et la remit à Muffy. Elle s'assit devant l'ordinateur et se mit au travail.

Passer à l'action leur donna à tous un regain d'espoir.

« Duncan, nous allons distribuer cette photo aux bénévoles qui travaillent ici, dit Alvirah d'un ton rassurant. Puis nous parcourrons les rues les unes après les autres. Nous finirons bien par contacter tous les habitants de Branscombe dans les heures qui viennent.

— Steve et moi nous allons nous rendre au square dans quelques minutes », dit Muffy tandis que l'imprimante déversait les copies de la photo de Fleur. « Nous sommes attendus dans la tribune pour l'arrivée du Père Noël. Nous demanderons aux personnes qui travaillent pour le Festival de distribuer la photo de Fleur.

— Y aura-t-il des spectateurs rassemblés sur le trajet du Père Noël ? demanda Nora.

— Oui, répondit Steve. Il y a des gens qui ne redoutent ni la neige ni le froid pour avoir les meilleures places.

— Luke et moi pourrions faire le même parcours et montrer la photo de Fleur à ceux qui sont déjà arrivés.

— Bonne idée », approuva Luke.

Il posa sa main sur l'épaule de Duncan sans savoir quoi lui dire. Il se souvenait de la peur qui l'avait saisi quand son chauffeur et lui avaient été kidnappés et abandonnés dans un bateau sur le point de couler. « En route tout le monde, les exhorta-t-il.

— Je vous accompagne, proposa Willy. Mine de rien, je sais encore utiliser mes jambes. Alvirah préférera rester avec Regan, Jack et Duncan. Mieux vaut nous séparer pour couvrir le plus de terrain possible.

— Muffy, avant que nous nous dispersions, dit Alvirah, connaissez-vous Rufus Blackstone ?

— Rufus Blackstone ? Bien sûr que oui ! Il joue le rôle de Scrooge dans *Un chant de Noël*. Ils étaient en train de répéter à la mairie, de l'autre côté de la rue, mais ils devraient avoir terminé à présent. Pourquoi ?

— J'essaye de le joindre depuis des heures. C'est lui qui a trouvé la bague que Duncan a achetée pour Fleur. Je voudrais lui poser quelques questions à ce sujet. Cette bague a été volée il y a plusieurs années. Il ne faut négliger aucune piste », dit-elle, préférant ne pas entrer dans les détails, au risque d'inquiéter encore davantage Duncan.

Regan croisa le regard d'Alvirah. « Je vous accompagne », dit-elle. Elle se tourna vers Jack. « Nous serons de retour dans quelques minutes. Glenda et Duncan, faites circuler la photo parmi toutes les personnes présentes ici. »

Ils quittèrent ensemble le bureau, chargés de paquets de photos de Fleur. Steve fit signe à un bénévole. « Je voudrais que vous accompagniez ces personnes, dit-il en désignant Luke et Nora, au départ du trajet que suivra le Père Noël.

— Certainement, monsieur le Maire.

— Et, par la même occasion, si vous pouviez déposer M. Meehan à mi-chemin entre ici et le square. »

Regan et Alvirah sortirent de l'église et traversèrent la rue. La répétition était terminée. Elles montrèrent la photo aux derniers acteurs qui franchissaient la porte. Aucun n'avait jamais vu Fleur.

« J'aimerais parler à Rufus Blackstone, leur dit Alvirah. Est-il encore là ?

— C'est le grand type aux cheveux blancs, là-bas, qui aide sa femme à enfiler son manteau, leur répondit-on. Ils discutent avec le metteur en scène. Rufus fait toujours des suggestions à la fin de chaque répétition.

— Monsieur Blackstone ! appela Alvirah. Il faut que je vous parle. »

Voyant son expression peu amène, Alvirah et Regan s'avancèrent rapidement vers lui et se présentèrent. « Nous sommes des amies du jeune homme qui a acheté la bague que vous avez trouvée.

–Vous voulez dire Duncan ? On ne parle que de lui. Il avait disparu la nuit dernière, et il a gagné à la loterie, c'est ça ?

— En effet, acquiesça Alvirah. M. Pettie a dit que vous aviez trouvé la bague dans la rue ?

— C'est exact.

— Où l'avez-vous trouvée ? »

Blackstone plissa les yeux. « Pourquoi voulez-vous le savoir ?

— Parce qu'elle a peut-être été perdue par la personne qui l'a volée il y a huit ans.

— Mon Dieu ! » s'exclama la femme de Rufus, Agatha. « Elle a été volée ?

— Oui, répondit Alvirah. Et par quelqu'un qui est peut-être responsable de la mort de sa propriétaire.

— Pas étonnant que personne n'ait répondu à ma petite annonce dans la rubrique des objets trouvés du journal, dit Rufus. Je l'ai fait passer pendant des semaines d'affilée. J'ai pensé qu'elle avait été perdue par une touriste.

— Perdue où ? insista Regan.

— Devant le Conklin's Market.

— Le Conklin's Market ? répéta Alvirah. Il s'est passé beaucoup de choses à cet endroit ces derniers temps.

— L'anneau de la bague était usé et s'est cassé. La bague est tombée.

— Du doigt d'une personne qui n'aurait pas dû la porter », dit Alvirah, pensant à la dame de compagnie de Kitty.

Agatha était abasourdie. « J'avais dit en plaisantant à Rufus que Scrooge était un rôle qui lui convenait à merveille. Il ne voulait pas me donner la bague. Il était prêt à la vendre à n'importe quel prix. Je suis plutôt soulagée à présent. Qui voudrait porter une bague qui a été au doigt d'une meurtrière ? Pas moi. Hein, Rufus ?

— J'imagine. Allons-y maintenant. Je n'ai pas envie de rater la cérémonie d'ouverture. Même si nous serions censés répéter encore une fois. Nous ne sommes pas tout à fait prêts à jouer en public. »

Regan intervint vivement :

« Je sais que vous êtes pressés, mais si vous pouviez jeter un coup d'œil à cette photo. C'est la petite amie de Duncan. Elle a disparu ce matin. Vous ne l'auriez pas vue aujourd'hui, par hasard ?

— Non », dit rapidement Rufus après avoir jeté un bref regard à la photo.

Agatha plissa les yeux et l'examina attentivement. Sa bouche s'ouvrit encore davantage. « Oooh, oooh, attendez. Oooh. Oui, moi je l'ai vue.

— Où donc ? s'écrièrent en même temps Regan et Alvirah.

— La pauvre petite était en larmes. Je l'ai croisée dans Main Street. Je sortais de chez le coiffeur. À un demi-bloc de Conklin's Market.

— Avez-vous remarqué la direction qu'elle prenait ?

— Je me suis retournée pour voir si je pouvais l'aider. Elle paraissait tellement bouleversée. Mais elle s'est engouffrée dans la ruelle. Je n'aurais pas pu la rattraper même si je l'avais voulu. Et Rufus me dit toujours de m'occuper de mes affaires.

— Où se trouve cette ruelle ? demanda Regan.

— À mi-chemin entre Conklin's et le coiffeur. On ne peut pas la rater. Il n'y a pas d'autre passage.

— Nous ne pourrons jamais vous remercier assez », dit Regan.

Alvirah s'était déjà élancée dehors.

38

En pull, pantalon, parka et snow-boots, Marion ouvrit la porte de Conklin's Market et regarda autour d'elle en espérant apercevoir Sam. Le magasin était bondé d'acheteurs de dernière minute. On l'accueillit avec chaleur.

« Si tu cherches M. Conklin, il est aux cuisines, lui cria Paige, la caissière. Glenda est déjà venue. A-t-on des nouvelles de la fiancée de Duncan ?

— C'est pour cette raison que je suis ici. Je voudrais montrer la photo de Fleur aux clients qui entrent dans le magasin. Mais je dois d'abord prévenir M. Conklin. »

Marion revint sur ses pas et, en passant devant la boulangerie, s'étonna de voir que les étagères de l'armoire vitrée étaient presque vides. Sa jeune assistante, Lisa, paraissait épuisée. Elle était en train de vendre les deux derniers muffins et une tarte aux pommes.

La cliente qui s'apprêtait à prendre son paquet, une jeune femme d'une vingtaine d'années, portait un large anneau d'or en guise d'alliance. Marion le regarda fixement. C'est ici que j'ai remarqué la bague en forme de fleur, se souvint-elle. Au moment où je remettais ses achats à une cliente. Mais qui était-ce ? Cela me reviendra peut-être.

Dans la cuisine, Marion vit avec surprise le fils de Sam, Richard, qui tranchait du jambon. Elle l'avait connu petit garçon. « Marion, dit-il gaiement, aurais-tu déjà dépensé tout ton argent ? » Il se hâta vers elle et l'embrassa.

Elle le serra dans ses bras. « Tu es magnifique, Richard. Il faut vraiment que j'aille te voir au théâtre.

— C'est d'accord. Tu viendras avec papa voir le prochain spectacle. Je pense que tu sais qu'il a largué Rhoda.

— Oui », dit Marion en rougissant au moment où Sam se retournait et les apercevait. Il avait l'air épuisé mais heureux.

Sam prit sa main dans les siennes. « Marion, cet endroit n'est plus le même sans vous, dit-il d'une voix chaleureuse. J'ai dit à Glenda que j'avais les chèques de vos primes dans mon bureau.

— Sam, je vous en prie, ne vous tracassez pas pour ça, dit Marion. Je voulais vous demander l'autorisation de me placer près de l'entrée pour distribuer la photo de la fiancée de Duncan. Elle n'a toujours pas réapparu et il est dans tous ses états.

— Bien sûr, dit Sam, sans lâcher sa main. Vous pouvez rester aussi longtemps que vous le désirez. »

Marion alla rapidement se poster à la porte du magasin et commença à distribuer les photos. Ce faisant, elle ne pouvait s'empêcher de penser à la bague. Elle était presque sûre de l'avoir vue au doigt d'une cliente de la boulangerie. Réfléchis, Marion, c'est peut-être très important, se dit-elle, s'efforçant de rassembler ses souvenirs. Elle se souvint de sa timidité au lycée. En sixième, quand elle était appelée au tableau, elle était si troublée qu'elle oubliait tout ce qu'elle avait appris. Mme Griner, son professeur d'anglais, se montrait très compréhensive. « Tu connais la réponse, Marion, lui disait-elle. Réfléchis une minute. Ça va te revenir à l'esprit. »

Et tout lui revenait. Mais pas aujourd'hui. C'était sans doute l'âge.

J'ai pourtant fait des centaines de mots croisés pour entretenir ma mémoire, songea-t-elle avec un sentiment de frustration.

Je dois absolument me souvenir de la femme qui portait cette bague !

39

« Nous allons refaire le même trajet qu'elle, décida Jack.

— Fleur était en larmes. Oh, mon Dieu ! » gémit Duncan en montant péniblement l'escalier du sous-sol de l'église.

« Main Street est sûrement fermée à la circulation à l'heure qu'il est », dit Glenda quand ils atteignirent la voiture. « Ce passage mène à une petite rue. C'est là qu'est situé le Refuge, la maison d'hôtes à laquelle j'ai téléphoné. Mais la propriétaire m'a affirmé que Fleur n'était pas descendue chez eux. »

Alvirah et Regan échangèrent un regard. « Allons-y quand même, dit cette dernière. Elle s'est peut-être inscrite sous un autre nom.

— Vous croyez ? demanda Duncan plein d'espoir. Les propriétaires de l'endroit, Betty et Jed Elkins, sont des clients réguliers de Conklin's Market.

— Ça vaut le coup d'essayer, insista Regan. Nous allons commencer par là.

— Les gens d'ici vont volontiers prendre le thé au Refuge », dit Glenda, tandis que Jack roulait prudemment sur la chaussée enneigée. « Nous y sommes. C'est la prochaine à droite. »

Ils s'engagèrent dans une rue étroite. Sur leur gauche se dressait une rangée d'arbustes touffus. « Cette haie masque le parking situé derrière les magasins. La ruelle se trouve un peu plus loin à gauche, expliqua Glenda. Elle débouche pratiquement en face du Refuge. »

Jack arrêta la voiture devant la maison. « Glenda, c'est vous qui connaissez les lieux. Allons jeter un coup d'œil.

— Pendant ce temps, Alvirah et moi nous entrerons dire un mot aux Elkins, décida Regan.

— Je vous accompagne, dit Duncan.

— Duncan, nous irons plus vite si vous demeurez ici. Vous aurez du mal à grimper les marches du perron. Restez plutôt dans la voiture et gardez votre portable ouvert au cas où la tante des Winthrop rappellerait, suggéra Regan.

— Bien. »

Sans protester, Duncan s'inclina en arrière dans son siège.

40

Fleur était coincée entre Edmund et Woodrow à l'arrière de la camionnette. Jed et Betty les avaient transportés l'un après l'autre hors de la remise et les avaient cachés sous des couvertures. Le bâillon de Fleur était si serré que pas un son ne pouvait sortir de sa bouche, mais les deux hommes essayaient désespérément d'appeler à l'aide malgré le ruban adhésif qui leur fermait les lèvres. Seuls s'en échappaient quelques gémissement assourdis, si étouffés que personne hors du véhicule ne pouvait les entendre.

Je ne reverrai plus jamais Duncan, pensa Fleur.

« Grouille-toi, Betty, dit Jed avec impatience.

— Il faut que je mette un écriteau à l'accueil indiquant que nous sommes à la cérémonie des chandelles et que nous reviendrons plus tard.

— Tu ne l'as pas encore fait ?

— Non, j'étais trop occupée à me vernir les ongles », répondit Betty d'un ton sarcastique. « Monte dans la voiture. J'arrive tout de suite. »

Elle pénétrait dans la cuisine quand la sonnette retentit. Elle entendit la porte d'entrée s'ouvrir.

Oh, non, pensa-t-elle. Heureusement que je n'ai pas encore mis l'écriteau. Personne ne doit nous voir partir en voiture.

« L'endroit paraît désert », dit Regan tandis qu'elle et Alvirah attendaient à la réception. Puis elles entendirent des pas lourds dans le couloir. Une femme corpulente venait vers elles avec un large sourire.

« Bonsoir, que puis-je faire pour vous, mesdames ? »

Regan lui tendit la photo de Fleur. « Nous avons déjà téléphoné, au sujet de cette jeune fille, Fleur Bradley, elle est toujours introuvable. Nous avons pensé qu'elle s'était peut-être inscrite chez vous sous un autre nom. »

Betty fit mine d'examiner la photo. « Je suis sincèrement navrée de ne pouvoir vous aider, mais je ne l'ai jamais vue. Et, comme je l'ai expliqué à Glenda quand elle a appelé, nous sommes complets depuis des semaines. Personne n'aurait pu venir ce matin et obtenir une chambre.» Avec un sourire compréhensif, elle rendit la photo à Regan. « C'est désolant. Elle a l'air charmante. J'espère que vous allez la retrouver. »

Regan nota que Betty Elkins transpirait et semblait essoufflée. « Pourriez-vous garder cette photo et la montrer à vos clients ?

— Certainement. »

Regan et Alvirah ne semblaient pas près de s'en aller. Toutes deux percevaient l'anxiété que Betty Elkins s'efforçait de dissimuler. Je n'ai jamais vu un sourire aussi faux de toute ma vie, pensa Alvirah.

« On m'a dit que vous serviez le thé l'après-midi et qu'il était délicieux, dit Regan, tentant de gagner du temps.

— Il vous faudra venir l'apprécier un jour. Je suis assez fière de mes scones, et tout le monde vante mon gâteau au chocolat. Maintenant, si vous voulez bien m'excuser, j'ai quelque chose sur le feu. »

Alvirah crut entendre la voix de Bridget O'Keefe : « Elle avait un de ces visages ronds qui affichent en permanence un sourire mielleux... elle passait son temps à la cuisine à confectionner des gâteaux et des biscuits... elle en mangeait la plus grande partie elle-même. » Le regard d'Alvirah passa du visage rond de la femme au Père Noël mécanique qui hochait la tête sur le comptoir de l'accueil. Bridget O'Keefe m'accusait d'avoir jeté son Père Noël mécanique par erreur, se rappela-t-elle. Je lui répondais qu'elle finirait un jour par le retrouver dans un tiroir. « Ce Père Noël est si mignon, dit Alvirah. J'avais une amie, Kitty Whelan, qui venait souvent rendre visite à la dame chez qui je travaillais... »

Un tressaillement parcourut la joue de Betty qui l'interrompit : « Veuillez m'excuser, mais il faut vraiment que je retourne à la cuisine. J'aimerais arriver au début de la cérémonie.

— Merci de nous avoir consacré de votre temps », commença Regan.

Au moment où Alvirah et elle s'apprêtaient à partir, la porte d'entrée s'ouvrit brusquement et Glenda apparut, les yeux brillants d'excitation.

« Marion vient d'appeler. Betty, peut-être pouvez-vous nous aider. Marion se souvient de vous avoir vue porter une bague en forme de fleur. Bien sûr, vous ne pouviez pas savoir qu'elle était volée. Je veux dire, si c'est la même que celle de Duncan... »

Alvirah se tourna brusquement vers Betty. Leurs yeux se croisèrent. Une expression mauvaise avait soudain remplacé le masque souriant de la femme. Avec violence, elle renversa le bureau de la réception sur ses trois visiteuses, qui firent un bond en arrière. Elle en profita pour s'enfuir dans le couloir, avec une rapidité surprenante chez une femme aussi corpulente.

« Vous avez assassiné Kitty Whelan », cria Alvirah derrière elle.

Regan enjamba le bureau et s'élança dans le couloir, Alvirah à sa suite. Quand elles atteignirent la cuisine, la pièce était déserte et la porte du fond grande ouverte. Elles entendirent une voiture démarrer sur les chapeaux de roues.

Alvirah repéra des papillotes froissées vert et rouge sur la table. Semblables à celles qui enveloppaient les caramels que Willy lui avait offerts dans l'épicerie – l'épicerie où les deux escrocs avaient acheté le deuxième billet gagnant. Le propriétaire du magasin leur avait dit qu'il en avait très peu vendu. Elle ramassa les papiers d'aluminium et appela Regan : « Ces prétendus experts financiers logeaient ici. Ce sont sans doute eux qui ont kidnappé Fleur. Ils sont probablement de mèche avec Betty ! »

Elles rebroussèrent chemin, longèrent le couloir au pas de course et franchirent la porte de devant. Dehors, Glenda avait rapidement mis Jack au courant des événements.

« Montez dans la voiture ! leur cria-t-il. Nous ne pouvons pas les laisser filer ! »

41

« Que se passe-t-il, Betty ? » hurla Jed en écrasant l'accélérateur. Il fila comme une trombe devant la voiture de Jack arrêtée dans l'allée. « Pendant que je t'attendais, j'ai entendu un type qui criait le nom de Fleur.

— L'ancienne femme de ménage de O'Keefe m'a reconnue.

— Quoi ? »

Appuyant à fond sur le champignon, il tourna à gauche dans la rue suivante.

« Par où vas-tu ? » cria Betty d'une voix affolée au moment où les roues de la camionnette commençaient à déraper. « Ils vont se lancer à notre poursuite.

— Du calme ! Je sais quelles sont les rues qui vont être fermées à la circulation et j'ai repéré l'itinéraire le plus rapide pour atteindre le pas du Diable. »

À moitié étouffée sous les couvertures, Fleur éprouva pour la première fois une lueur d'espoir. Elle avait entendu Duncan crier son nom. Pourvu qu'il soit dans la voiture qui nous suit, implora-t-elle. Pourvu qu'ils ne perdent pas notre trace.

Edmund aurait voulu réconforter Fleur. Quand on pense que tout a commencé parce que Woodrow et moi avons gagné à la loterie, se dit-il.

Jed prit un virage rapide sur la gauche. Les roues arrière chassèrent, mais il parvint à garder le contrôle du véhicule. « On va continuer sur cette route », dit-il à Betty en regardant dans le rétroviseur. « Je crois qu'on les a semés.

— Attention ! » hurla Betty au moment où la route tournait brusquement sur la droite.

Un barrage imprévu se dressait devant eux. Des Pères Noël en traîneaux tirés par des chevaux étaient massés aux alentours. Venus de tous les coins du New Hampshire, ils s'étaient rassemblés à Branscombe et se préparaient à participer à la cérémonie d'ouverture.

Jed donna un violent coup de freins. La camionnette fit un tête-à queue, dérapa et s'immobilisa sur le bas-côté de la route. Les gendarmes postés au barrage accoururent au moment même où la voiture des Reilly s'arrêtait derrière la camionnette.

« Attention, ils sont peut-être armés », cria Jack.

Dégainant, les gendarmes encerclèrent le véhicule. La portière du conducteur s'ouvrit et Jed descendit les mains en l'air sur la chaussée enneigée. Betty sortit à son tour de l'autre côté. « Le pistolet est dans la boîte à gants et il y a des gens à l'arrière », dit-elle d'un ton hargneux.

Jack ouvrit la porte arrière, écarta les couvertures et vit les trois malheureux qui se débattaient pour se débarrasser de leurs entraves. Ils avaient les yeux bandés, étaient bâillonnés et ligotés.

« Elle est ici, Duncan », cria-t-il en sautant à l'intérieur. Il libéra Fleur de son bandeau et du chiffon qui l'étouffait à moitié.

Duncan sautilla jusqu'à la camionnette. « Fleur ! » hurla-t-il.

Jack souleva Fleur et la déposa à terre, la maintenant debout pendant qu'un gendarme coupait le ruban adhésif qui immobilisait ses mains et ses pieds.

« Oh, Duncan, dit Fleur d'une voix faible, moi qui voulais te faire une surprise.

— Pour une surprise, c'est une surprise ! » s'exclama Duncan, appuyé sur ses deux béquilles, cachant difficilement ses larmes.

« J'ai cru que je ne te reverrais jamais », murmura la jeune fille en se serrant contre lui. Puis elle partit d'un éclat de rire en voyant les Winthrop descendre de la camionnette, tirés par les gendarmes. « Oh, Duncan, voilà tes conseillers financiers. Tu n'as pas d'autres questions à leur poser maintenant que tu as enfin gagné à la loterie ? »

Duncan rit avec elle. « Non ! Et je n'éteindrai pas la lumière en sortant, je ne réutiliserai jamais la même poche de plastique ! » Il releva une mèche de cheveux sur le front de Fleur. « Et je n'ai plus besoin de leurs conseils pour décider ce que je vais faire dans la vie. Je n'ai qu'un seul projet désormais. Veux-tu m'épouser, Fleur ?

— Le plus vite possible. »

Alvirah essuya une larme. « N'est-ce pas merveilleux ? » demanda-t-elle à Regan et à Glenda. « J'espère qu'ils nous inviteront à la cérémonie. »

Les gendarmes ouvrirent le barrage. « C'est le moment de donner le départ du spectacle », dit l'un d'eux. Les chevaux s'élancèrent en hennissant, secouant la neige de leur crinière. Le Festival de la Joie commençait.

42

Le dimanche matin, des effluves de crêpes aux myrtilles se répandaient dans le sous-sol de l'église.

Le Festival avait été un triomphe. Tous les habitants de Branscombe y avaient participé, tous, à l'exception de Jed et de Betty. Sous le coup d'inculpations d'enlèvement et d'assassinat, ils n'assisteraient plus à aucune réjouissance d'ici longtemps.

Rufus Blackstone avait eu droit à trois rappels à la fin du *Chant de Noël*. Nora avait fait salle comble lors de sa lecture qui avait rassemblé enfants et adultcs. Les gagnants de la loterie avaient prêté la main à la préparation des repas du Festival, et on avait vu Sam et Marion travailler côte à côte tout ce temps-là.

La plus grande gaieté régnait à la table que présidaient Alvirah et Willy, en compagnie de Regan, Jack, Nora, Luke, Muffy, Steve, Duncan et Fleur, ainsi que des autres heureux gagnants. « J'espère qu'ils ne seront pas trop sévères avec les Winthrop, dit Fleur. Ils ont vraiment essayé de me sauver, au risque d'y laisser leur vie.

— C'est la tante Millie qui m'a fait pitié, dit Duncan. Elle était ici la nuit dernière, et elle a failli tomber dans les pommes lorsque la police est venue lui annoncer que les Winthrop étaient en prison. Quand elle a tenté de décrire l'épicerie où elle était censée avoir acheté le billet, c'était comique. Elle a dit qu'elle se trouvait dans une rue passante et qu'elle ne se souvenait plus s'il y avait une pompe à essence ou non. Les policiers ont été stupéfaits lorsque je leur ai remis le billet. Et elle est restée sans voix. Je me demande ce qu'ils vont en faire.

— Ce sera au juge d'en décider, expliqua Jack. Ces deux aigrefins étaient en liberté conditionnelle et n'étaient pas autorisés à jouer. Qui sait quelle sera la sentence ?

— Quand je pense que je n'ai jamais eu le moindre soupçon à l'égard de Betty Elkins, dit Glenda en secouant la tête. Quelle gourde je suis !

— Glenda, si vous ne vous étiez pas précipitée au Refuge comme vous l'avez fait, dit Regan, Betty et Jed auraient sans doute eu le temps d'atteindre le lac avec Fleur, et personne n'aurait pu les arrêter. »

Duncan pressa la main de Fleur, puis parcourut l'assistance du regard. « Je ne pourrai jamais vous exprimer notre reconnaissance. » L'émotion l'étouffa.

Fleur sourit et poursuivit à sa place : « Nous allons nous marier à St. John's Island, aux îles Vierges, à la fin du mois de janvier. Nous voudrions tous vous inviter ainsi que vos familles à passer un long week-end là-bas. »

Willy accepta avec enthousiasme :

« Nous sommes libres.

— Nous sommes tous libres », confirma Tommy.

43

Six semaines plus tard, à la veille du mariage, Duncan était débarrassé de son plâtre et le groupe au complet paressait sur la plage, profitant du soleil. Le téléphone portable de Glenda sonna. Elle jeta un coup d'œil sur le cadran. « C'est Harvey ! dit-elle, d'un ton exaspéré. Il ne pourra donc jamais me laisser en paix. » Elle répondit. « Qu'est-ce que tu veux maintenant, Harvey ?

— Glenda, je viens d'entendre la décision du juge à propos du billet. Il a déclaré qu'il n'était pas valable, pour la simple raison que ces types n'avaient pas le droit de l'acheter.

— J'en suis ravie, dit Glenda, prête à raccrocher.

— Attends ! Glenda, il a décidé que seul votre billet était gagnant. Vous allez donc vous partager tout le paquet !

— Tout le paquet ! » Elle faillit s'étrangler.

« Vingt-quatre millions chacun ! » La voix d'Harvey se brisa : « Glenda, nous avons passé de bons moments ensemble.

— Harvey, tu te fiches de moi ? Écoute. Je vais faire un don de ta part à l'organisation caritative favorite de la chaîne BUZ. » Elle éteignit son portable. Les autres la regardaient d'un air interrogateur. « Le juge a conclu que notre billet valait la totalité du gain ! leur annonça-t-elle. Les trois cent vingt millions ! »

S'ensuivit un tonnerre de hourras et d'applaudissements. La mère de Tommy bondit hors de son fauteuil de plage. Les filles de Ralph et de Judy partirent en courant vers la mer et se mirent à sauter dans les vagues. Marion et Sam semblaient pétrifiés sur place. « Ça fait beaucoup de donuts à la confiture », dit Sam. Duncan et Fleur se contentèrent de sourire. Dans leur situation, douze millions de dollars de plus ou de moins n'avaient pas grande importance pour eux.

Regan, Jack, Nora, Luke, Muffy et Steve se regardèrent.

« Et moi qui pensais que je ne m'en tirais pas si mal », dit Nora en riant.

Alvirah se pencha en avant. « C'est merveilleux. Mais n'oubliez pas que ceux qui ont beaucoup perçu sont très sollicités.

— Ne craignez rien, Alvirah, nous choisirons des œuvres de bienfaisance honorables.

— C'est parfait ! Et aujourd'hui, plus que jamais, j'insiste pour que vous fassiez partie de mon association de soutien aux gagnants de la loterie... »

Jack se tourna vers Regan, haussant un sourcil. « Voilà le seul groupe auquel je ne serais pas fâché d'appartenir. »

REMERCIEMENTS

Une fois encore l'histoire a été dite et une fois encore nous avons pris plaisir à faire revivre nos personnages favoris, Alvirah et Willy Meehan, Regan et Jack Reilly, avec leurs nouveaux amis de Branscombe.

Que soient remerciés ceux qui nous ont accompagnés dans cette poursuite sous la neige, nos éditeurs Michael V. Korda et Roz Lippel ; notre attachée de presse Lisl Cade ; notre directrice littéraire Gypsy da Silva ; le designer de notre couverture, Jackie Scow ; et notre agent littéraire, Esther Newberg.

Que les clochettes de Noël tintent pour notre famille et nos amis, toujours prêts à nous encourager, et en particulier pour John Conheeney, Agnes Newton et Nadine Petry.

À tous, et à nos lecteurs, Joyeuses Fêtes.

Photocomposition Nord Compo
59650 Villeneuve-d'Ascq

Achevé d'imprimer
en juillet 2009
par Printer Industria Gráfica
pour le compte de France Loisirs, Paris

Numéro d'éditeur : 56060
Dépôt légal : août 2009
Imprimé en Espagne